Darwin Simnacher

REFRANES POPULARES DE MÉXICO

GUADALUPE APPENDINI

REFRANES POPULARES DE MÉXICO

Con ilustraciones

SEGUNDA EDICIÓN

EDITORIAL PORRÚA
AV. REPÚBLICA ARGENTINA, 15
MÉXICO, 1999

Primera edición en la colección "Sepan Cuantos...", 1997

Las características de esta edición son propiedad de la
EDITORIAL PORRÚA, S. A. DE C. V. -4
Av. República Argentina, 15 altos, Centro, 06020, México, D. F.

Queda hecho el depósito que marca la ley

ISBN 970-07-1032-7 (Rústica)
ISBN 970-07-1033-5 (Tela)

IMPRESO EN MÉXICO
PRINTED IN MEXICO

INTRODUCCIÓN

El refrán es la síntesis de la sabiduría popular que se acumuló a través de los siglos en la vida de nuestro pueblo, el que lo ha recogido y hecho parte de su propia forma de expresarse y ser.

Se dice de los dichos, proverbios o refranes que son "Evangelios Chiquitos" que para un pueblo esencialmente católico, como el mexicano, viene a ser una "verdad de a libra", inapelable e irrefutable.

Los refranes, dichos, dicharachos y juegos de palabras, reflejan la más pura idiosincracia del mexicano, caracterizado por la picardía, el ingenio, la hospitalidad, la alegría de vivir, el sentimentalismo y lo cáustico; características que lo distinguen de todos los pueblos del mundo.

En esta reseña se presenta sólo una parte del vastísimo acervo de ese capítulo de la cultura de México que desgraciadamente se ha venido perdiendo. Tratamos de rescatarlo para solaz y enriquecimiento de los que aman a nuestra patria y defienden nuestro patrimonio cultural-popular.

Consideramos que puede también ser un buen material para integrarse a las obras costumbristas de los jóvenes escritores.

Se puede pensar que un buen refranero encierra, sin intenciones académicas inaccesibles al hombre común, la filosofía más auténtica y asequible de un pueblo como el nuestro.

Asimismo, es un encuentro con las raíces del rico pasado prehispánico y mestizo en donde se fusionan y fortalecen el espíritu de dos pueblos bien definidos, que dan como fruto una raza de bronce, de carácter indomable y sublime a la vez.

Aún está en nuestra memoria un discurso del licenciado José López Portillo, sustentado en el uso adecuado del tiempo: "Hay tiempos para encender los cuetes y tiempo para recoger las varas".

Asimismo, están en nuestros corazones, y en nuestro comportamiento, las enseñanzas proverbiales de mi madre, doña María Romo de Appendini.

Así podemos observar cómo se hacen presentes nuestros refranes, no sólo entre los estadistas, sino también en el comportamiento de muchos de nosotros.

Aforismos y lugares comunes, máximas, adagios, moralejas, etcétera, llegan a nuestros niños al través de las nanas, quienes les dicen como admonición que: "árbol que crece torcido, jamás su tronco endereza".

Las frases célebres, con el paso del tiempo, también se convierten en el tema que nos ocupa: tenemos como ejemplo: "Sic Transit Gloria Mundi".

Los proverbios son parientes de las parábolas, por ejemplo: "Al árbol fuerte lo derriba la tormenta: la hierba minúscula se dobla sin quejarse, y vive".

En el ambiente provinciano todavía se conservan y disfrutan los refranes y dichos populares, fruto del ingenio de nuestro pueblo, cuyo testimonio no es otra cosa que el carácter de la más acendrada identidad nacional.

En las marchas de protesta de los numerosos inconformes que hay en la actualidad, se usan también como lema o consigna, frases que quizá con el tiempo se conviertan en "Evangelios Chiquitos", por ejemplo: "El pueblo unido, jamás será vencido".

Es mi intención dejar un testimonio sencillo pero significativo de ese invaluable acervo que he recogido, tanto en el seno familiar como de personas que gustan de esta divertida literatura, testimonio al fin de la generosidad de nuestro pueblo mexicano, que en su geografía e historia es como un cuerno de la abundancia; y también en este tipo de riqueza cultural que se renueva incansablemente.

Para su mejor uso, este pequeño *Refranero Popular Mexicano* se ha dividido por temas:

- Verdades de a libra
- Cualidades
- Valentonadas
- Consejos
- Dinero
- Animales
- Críticas
- Recomendaciones

- Consuelo
- Picaresca
- Sabiduría
- Sociología
- Educación
- Expresiones Populares
- Advertencias
- Comida
- Religión
- Piropos
- Quejas

Obviamente, no podemos suponer que hayamos agotado los temas que cotidianamente se presentan en el devenir de la vida y sus inescrutables designios pero, como mínima ganancia, sí podemos asegurar que se trata de un opúsculo bastante entretenido y que algo positivo les dejará, ya que: "nunca a la cama te irás, sin aprender algo más".

GUADALUPE APPENDINI DE VARGAS

PRESENTACIÓN

Cuanta razón tiene Guadalupe Appendini al calificar el libro que el lector tiene ahora en sus manos, como *Refranes Populares de México*. Y viene al caso señalar lo anterior, porque precisamente la cuidadosa recopilación, selección y análisis de refranes, que en esta ocasión ha dividido por temas, incorpora como materia prima la filosofía cotidiana de México, el refrán, casi siempre sin rostro, fruto de la experiencia popular, cargado de vitalidad, humor y sobre todo sentido común, que muchas generaciones de mexicanos han producido, utilizado e interpretado en el cotidiano devenir de México. No es este el primer trabajo de Guadalupe Appendini. Recientemente ha publicado en esta misma editorial sus *Leyendas de Provincia*, uno más de sus esfuerzos por difundir la cultura viva de México. De todos es, además, conocida su labor en el periódico Excélsior, desde el cual ha educado y transmitido a generaciones de muchos mexicanos, en innumerables reseñas, escritos, estudios, testimonios y evocaciones que han analizado y difundido nuestro valioso patrimonial cultural.

El refrán ya lo dice aquí Guadalupe Appendini, no tiene intenciones académicas, inaccesibles a la mayoría de los mexicanos. Ésta es una de sus características más notables: hacer accesible la gran profundidad y experiencia de la vida cotidiana que se enfrenta a eventos y circunstancias de las que trata de salir librado de la mejor manera. El refrán, se convierte entonces, en la expresión de una apretada filosofía de dominio público, que contiene la suma de una experiencia que tiene su sentido y validez precisamente cuando sirve a los demás, en quienes se proyecta, a quienes sirve, es decir, a sus lectores. El refrán mexicano, aparte de estas características, tiene una que le confiere carta de naturaleza, su verdadera connotación: humor y agudeza, condensadas en las experiencias populares de largos años. Los refranes mexicanos, tienen también mucho del sentido y la forma de la *Máxima* como género literario, acuñada por la ilustración europea del siglo XVIII. Definiendo la *Máxima*, podríamos decir que es un género literario, cuya fórmula intenta decir lo máximo en lo mínimo; y diría yo que éste, es precisamente también el sentido y el espíritu del refrán de nuestro país, decir también lo máximo en lo mínimo.

Así, en el refrán, se llega a una solución notable, ya que se logra en el uso de las palabras y modismos, una solución equilibrada, en donde los razonamientos del refrán no son demasiado cortos, pues no convencerían y, por otra parte, tampoco son presentados con un exceso de palabras que sólo traen confusión y aburrimiento. Se trata, en consecuencia, de expresar ideas en la medida exacta, como expresión dirigida al lector y al oyente. Adviértase que no se trata aquí de establecer paralelismos entre estas dos formas de expresar la experiencia y la vida cotidiana. Se trata sencillamente de apuntar los paralelismos que existen en estas expresiones del espíritu y de la vida cotidiana de dos culturas disímbolas. ¡Qué no señalar en este orden de ideas, de la innegable influencia de la literatura y de la cultura españolas, sobre este género!

El libro que el lector puede disfrutar ahora, es una más de las inquietudes intelectuales de esta entusiasta escritora. Su labor nos permite recuperar un crisol de la filosofía popular y la forma de pensar del pueblo mexicano. Su esfuerzo, nos acerca también a este singular género, que por importante e ineludible en nuestra realidad nacional, quedó incluido en las inquietudes literarias, por ejemplo, de Artemio de Valle Arizpe, Guillermo Prieto, o Antonio García Cubas, quienes constantemente incorporaron nuestro dilatado refranero popular en sus obras. Cómo no recordar en estos momentos las notables páginas de Artemio de Valle Arizpe, al referirse, en sus *Notas de Platería*, al truchimán de Pablo Morales, alias "Pablitos", sacristán de la capilla del señor de Burgos, en el convento de San Francisco en la ciudad de México, que con barrocos refranes, remilgos y solicitudes interminables, despojó a los frailes de ese convento, de candiles, platos, ciriales, palabreros de plata, alhajas, múltiples objetos de oro y riquísimas telas eclesiásticas, con el cuento de que se había sacado la lotería de La Habana y de la Academia de las Tres Nobles Artes de San Carlos.

La autora rescata también en este libro, una referencia histórica del refranero y sus derivadas incidencias semánticas, sus palabras y modismos corrientes, que se encuentran desde las Gacetas de México en el siglo XVIII y XIX, pasando por los escritores costumbristas, como José Joaquin Fernández de Lizardi, llamado El Pensador Mexicano, con su *Periquillo Sarniento*, Pablo de Villavicencio, llamado el Payo del Rosario; los novelistas rurales como José López Portillo y Rojas, con su célebre novela llamada *La Parcela* o Luis G. Inclán, que escribió sobre las andanzas de un grupo de contrabandistas de tabaco, llenas de vivas descripciones de tipos y costumbres y escenas y lenguajes campiranos, que quedaron congeladas magistralmente en su novela *Astucia*, que lleva también los nombres de *El jefe de los hermanos de la hoja o los charros contrabandistas de la rama*, para terminar, por ejemplo, con Mariano Azuela, uno de los más excepcionales novelistas de la revolución, y José Rubén Romero, que en *La Vida Inútil de Pito Pérez*, profundizó en los tipos del alma popular, y en los ambientes en que se desarrolla.

Quizá de todos nuestros escritores del siglo XVIII y XIX, el más certero en el empleo del refrán, cargado de connotaciones coloniales españolas y de un realismo notable, que tiene su fuente en la tradición hispánica e iluminista francesa del siglo XVIII, sea José Joaquín Fernández de Lizardi. Cómo no recordar ahora algunos de sus más notables refranes que quedaron inmortalizados en su célebre *Periquillo Sarniento*: *El hijo del gato caza ratón; un garbanzo más no revienta una olla; al que dios le ha de dar, por la gatera le ha de entrar; si el sabio no aprueba, malo, y si el necio aplaude, peor.* O por ejemplo, aquel otro notable refrán que Fray Benito María de Moxo, emplea en sus *Cartas Mexicanas*, publicadas en 1839: *Cuando el indio encanece, el español no parece.*

El refrán tiene, ya se ha visto, indudables ventajas: la más inmediata de ellas, la posibilidad de aprender de la experiencia de los demás, es decir, de quienes acuñaron sentidamente cada uno de estos refranes, que no tienen, por otra parte, en esta recopilación, una clasificación por renglón. Así, un lector atento, puede aprender mucho de la sabiduría y versatilidad de esta notable fuente escrita, producto de generaciones, y de la sabiduría popular que las ha caracterizado.

Enhorabuena este nuevo libro de Guadalupe Appendini, y enhorabuena también, que venga a unirse a la pródiga y larga tradición de la Editorial Porrúa.

ALEJANDRO DE ANTUÑANO MAURER
Ciudad de México, 1996

REFRANES POPULARES DE MÉXICO

VERDAD DE A LIBRA

En la boca del mentiroso lo cierto se hace dudoso.
La mentira hace ganar fama a quien la usa constantemente.

Si tu mal tiene remedio, para qué te apuras, y si no tiene, para qué te apuras.
La preocupación no resuelve los problemas.

Quién es tu hermano, tu vecino más cercano.
El vecino cercano siempre es más útil que el pariente lejano.

Por el árbol se conoce el fruto.
Se refiere a la semejanza que existe entre padres e hijos.

Aquel que no ve adelante, atrás queda.
Recomienda tener iniciativa en la vida.

El prometer no empobrece, el dar es lo que aniquila.
Parece haber sido inspirado por los políticos corruptos.

Haz las cosas para ayer mañana es demasiado tarde.
Este refrán se complementa con el que dice: "no dejes para mañana lo que puedas hacer hoy".

Lo que uno no puede ver, en su huerto le ha de nacer.
Indica que no es bueno tener fobias, porque éstas se nos pueden revertir.

El flojo y el mezquino, andan dos veces el camino.
Se sabe que la pereza y la avaricia dificultan el camino en la vida.

El que ha de morir oscuras, aunque muera en velería.
Habla de lo difícil que es cambiar el destino de una persona.

No son eternas las horas, ni eternas las desventuras, siempre a las noches oscuras, siguen las blancas auroras.
Recomienda vivir con esperanza.

Matrimonio y mortaja, del cielo baja.
Dícese que el amor y la muerte llegan cuando Dios quiere.

Llega más pronto con su agilidad el tonto, que con su pereza el sabio.
Es un reproche directo a la pereza.

No hay cosa más triste que la soledad de dos, en compañía.
Dice que la falta de entendimiento en un matrimonio es muy lamentable.

Pobre del pobre que al cielo no va, lo amuelan aquí y lo amuelan allá.
Reconoce que la vida del pobre es difícil, lo mismo en la vida que en la muerte.

Cuando la miseria entra por la puerta, el amor sale por la ventana.
La pobreza es causa de muchas desavenencias en los matrimonios.

Siempre el desdichado llega tarde, cuando reparte bienes la fortuna.
El infeliz no tiene oportunidad de realizarse.

Qué entendéis vos por los infiernos: Suegros, cuñados y yernos.
Esta frase se completa con la que dice que de los parientes y el sol, entre más lejos mejor.

No se puede predicar y andar en la procesión.
Este refrán se complementa con el que dice que el que a dos amos sirve, con alguno queda mal.

Las águilas andan solas, los borregos en manada.
Dice que las personas inteligentes no necesitan compañía.

Quien quiere la col, quiera las hojas de alrededor.
Recomienda al enamorado quedar bien con los parientes de la novia.

Hijos chicos, penas chicas; hijos crecidos, trabajos llovidos, e hijos casados, ladrones disfrazados.
Se dice que según las etapas de la vida, los hijos cambian según su conveniencia.

Hacerle un favor al ingrato, es lo mismo que ofenderlo.
Asegura que el que está falto de gratitud, se ofenderá con los favores.

¿Qué bien te hice que me pagas con un mal?
Se explica igual que el refrán anterior.

Los hijos y los maridos, por sus hechos son queridos.
Este es un refrán muy conocido en las familias mexicanas.

Las hijas de las novias a las que quise tanto, ahora me besan, como se besa a un santo.
La edad santifica al más pecador.

Cuesta más una gorra, que un sombrero galoneado.
Al que quiere comer gratis, con frecuencia lo dejan pagar la cuenta.

Lo que bien se aprende, jamás se olvida.
La educación primaria es básica para los estudios superiores.

Lo que de noche se hace, de día aparece.
Casi siempre lo que se hace de prisa tiene errores.

Los dichos de los viejitos, son evangelios chiquitos.
Se refiere que los refranes de las personas de experiencia encierran una gran verdad.

De fuera vendrá, quien de tu casa te echará.
Recomienda no exagerar la hospitalidad.

Los niños y los borrachos siempre dicen la verdad.
La ingenuidad de la infancia y los efectos del vino conducen a la verdad.

Cuando se está viejo y solo se vive de recuerdos.
En la senectud se vive acompañado del pasado.

Nadie sabe el bien que tiene, hasta que lo ve perdido.
Recomienda disfrutar lo que se tiene y no desear lo que no se tiene.

La verdad no peca, pero sí incomoda.
Decir la verdad es un mérito, pero puede molestar a quien la escucha.

Se bebe de vicio y se come de gula.
Las dos aseveraciones son ciertas, pero señalan el daño que puede hacer el exceso en ambos casos.

Si quieres ser feliz, corta de raíz cualquier asomo de envidia.
Es un certero refrán, si se recuerda que la envidia es el dolor del bien ajeno.

Honrado, honrado, lo que se llama honrado, no hay nadie.
Frase certera de algún político mexicano.

No hay peor ciego que el que no quiere ver.
Dícese de las personas que no quieren reconocer sus errores.

Para que la cuña apriete ha de ser del mismo palo.
Asevera que la actitud de los parientes duele más que la de los extraños.

Una persona mal agradecida, es una persona mal nacida.
Aquí se ve que la gratitud es don de Dios.

El agradecimiento trae consigo nuevos beneficios.
Al agradecer, ganamos indulgencias.

Jarrito nuevo dónde te pondré, jarrito viejo dónde te esconderé.
Las nuevas amistades se pregonan más que las antiguas.

El que a feo ama, bonito le parece.
El amor es un cristal que embellece al ser amado.

La caridad bien entendida empieza por uno mismo.
Dice que la generosidad debe incluir al que tiene el don.

Cada persona y pueblo tiene lo que se merece.
Se dice que vamos por el mundo labrando nuestro destino.

El caballo, la pistola y la mujer, no se le prestan a nadie.
Se refiere a que los afectos íntimos se han de cuidar con esmero.

Al buen entendedor, pocas palabras.
No son necesarios grandes discursos para convencer a alguien de lo que le conviene.

A fuerza, ni la comida entra.
Se refiere a que comer es un placer, pero no por obligación.

A Marcela no le falta ni sarna que rascar.
Se refiere a que alguna persona tiene todas las comodidades.

Nadie sabe para quién trabaja.
Se utiliza para hacer memoria de que puede suceder algo imprevisto.

El que da y quita con el diablo se desquita.
Que cuando algo se regala, no se debe tratar de recuperar.

Nadie diga zape, mientras no escape.
Asegura que todos estamos expuestos a cometer errores.

El sol es la cobija de los pobres.
Es un grito que se usa en el juego de la lotería. Pero es una dolorosa verdad.

En la mesa y en el juego, la educación se ve luego.
Asevera que en los modales para comer y en las actitudes en la vida, se sabe quién es bien educado.

Se sabe el misterio de la vida, pero de la muerte no se conoce nada.
Obviamente se sabe como nacemos, pero no como vamos a morir, ni como es el más allá.

Nunca es tarde cuando el bien llega.
Aceptemos que en cualquier momento de la vida hemos de agradecer las bondades de la misma.

Tú lo quisiste fraile Mostén, tú lo quisiste, tú te lo ten.
Aquí aprendemos, de que somos arquitectos de nuestro propio destino.

Los usos hacen costumbres, y las costumbres se hacen leyes.
Hay que reconocer que los hábitos pueden llegar a obligarnos a aceptarlos como ley.

El valiente vive, mientras el cobarde quiere.
Las valentonadas deben tener un límite, que aparece en cualquier momento.

Más vale maña que fuerza.
Que en la vida no siempre se triunfa a golpes, es necesario usar nuestra inteligencia.

La vejez tiene su encanto, pero hay que saberla llevar.
Que hay que llevar los años con dignidad y decoro.

Del plato a la boca se cae la sopa.
Dícese que aunque las cosas parezcan muy seguras, siempre puede surgir algún imprevisto.

Es mejor pedir perdón que pedir permiso.
Efectivamente, es más sencillo arrepentirse de lo hecho, que empezar a hacerlo.

Pelense los compadres y sáquense las verdades.
Que cuando hay un disgusto entre amigos, se sacan los trapitos al sol.

Perder el dinero es perder algo, perder la salud es perder mucho, perder el ánimo, es perderlo todo.
Las personas deprimidas, con el ánimo perdido, están cerca de la muerte.

El hombre estulto, fastidia y desespera.
Se refiere a que el trato con ignorantes es lo peor que puede sucedernos.

La buena memoria casi siempre está unida al criterio débil.
Aunque el refrán es cierto, una buena memoria siempre ayuda.

Cuentas claras, amistades largas.
Para conservar una amistad es preciso no complicarla con negocios dudosos.

Debo no niego, pago no tengo.
Esta parece ser la divisa de los campesinos de El Barzón.

Del árbol caído todos hacen leña.
El pleito de las televisoras nos da la pauta para burlarnos de ellos.

Pueblo chico, infierno grande.
A un pueblo pequeño, los chismes lo convierten en infierno.

Más vale un mal arreglo que un buen pleito.
Es mucho mejor negociar que llevar un largo litigio.

El obrero tiene un salario de hambre.
Esto puede ser resultado de los malos gobiernos.

La manzana podrida daña a las demás.
Una mala persona descompone un equipo de trabajo.

Quien da pan a perro ajeno, pierde el pan y pierde el perro.
Recomienda prudencia para otorgar ayuda.

El que mucho abarca, poco aprieta.
Se dice del que quiere hacer muchas cosas y no hace nada.

Tiene más el rico cuando empobrece, que el pobre cuando enriquece.
Siempre una gran fortuna perdura más, que un capital hecho con trabajo.

Más vale una vez colorada y no cien descoloridas.
Que hay que decir la verdad, y no andar con evasivas.

Date a deseo y olerás a poleo.
Recomienda que no prodigues tu presencia para no enfadar.

La experiencia es una llama que alumbra quemando.
Se dice que sólo experimentando se puede acumular sabiduría.

El muerto y el arrimado a los tres días apestan.
Se refiere a que no hay que abusar de amigos o parientes para no cansarlos.

Las penas con pan son menos.
La pena mayor es el hambre de los hijos.

El amor y el interés se fueron al campo un día, pudo más el interés, que el amor que le tenía.
De donde se desprende que en todos los tiempos se hacen matrimonios de conveniencia.

Es preferible morir de pie que vivir de rodillas.
Frase magnífica pronunciada por gobernantes dignos, pero que puede aplicarse a todas las circunstancias de la vida.

La unión hace la fuerza.
Es una verdad demostrada a través de todos los tiempos.

Obras son amores y no buenas razones.
Sería un buen consejo para los políticos que sólo saben hacer discursos.

La palabra convence, pero el ejemplo, arrastra.
Otro sería nuestro país, si los gobernantes nos hubieran dado algún buen ejemplo.

Hombre prevenido, vale por dos.
Se refuerza con el otro refrán que dice: "más vale prevenir, que remediar".

El hombre es un Dios en ruinas.
Emerson.

La desgracia pone a prueba a los amigos y descubre a los enemigos.
Una buena amistad se manifiesta a través de toda circunstancia.

La pereza viaja tan lenta, que la pobreza no tarda en alcanzarla.
Debemos rechazar la pereza, como el pecado mortal que es.

Contra la estupidez, hasta los dioses luchan en vano.
Schiller.

La juventud vive de la esperanza, y la vejez, de recuerdos.
En la juventud se vislumbra el futuro y en la vejez se recuerda el pasado.

La política es el único oficio para el que no se considera necesario tener alguna preparación.
Stevenson.

La verdad puede eclipsarse, pero jamás se extingue.
Tito Livio.

La conquista de sí mismo es la mayor de las victorias.
Nos recuerda a Sócrates: Conócete a ti mismo.

Lo que tengas en tu pecho, no se lo fíes a tu amigo, que acabadas amistades, será tu peor enemigo.
Recomienda desconfiar de toda la gente.

De médico, poeta y loco, todos tenemos un poco.
Habla de la naturaleza del ser humano.

Superstición es el precio que el hombre paga por su ignorancia.
Se afirma que sólo los ignorantes son supersticiosos.

DINERO

Ustedes creen que estoy sellando dinero a centonozos.
Para reprimir las exigencias de los hijos y para rechazar solicitudes de préstamo.

Fortuna, qué has visto en mí, que tan en mi contra estás, porque me amuelas a mí, ¿pos qué ahí no están los demás?
Es la llamada de atención del pobre que no ve la suya.

Debo tantos picos, que parezco custodia.
Se refiere a cuando la persona tiene deudas por distintas partes.

Se acabaría pronto el mar si el mar fuera de dinero.
Reconoce que en estos tiempos somos adoradores del becerro de oro.

No soy monedita de oro, para caerles bien a todos.
No se puede quedar bien con todo el mundo.

Lo olvidado, ni agradecido, ni pagado.
A veces la memoria nos consiente el no pago de una deuda.

¿Con qué ojos divino tuerto?
Se nombra ojos al dinero y cuando escasea se hace la interrogación anterior.

Lo que compré me costó un ojo de la cara.
Como en el refrán anterior, se representa al dinero como al ojo por lo valiosa que es la vista.

Amor, dinero y cuidado, no puede ser disimulado.
Ni el enamorado, ni el que se saca la lotería, ni el que tiene un gran pendiente puede esconder su preocupación.

El dinero se hizo redondo, para que ruede.
Se usa cuando el amigo que invitó se hace rosca para pagar.

Es tan despilfarrado, que le gusta gastar la pólvora en infiernitos.
Se usa cuando se habla de una persona que hace alarde de su dinero.

El dinero que me mandó, me cayó como anillo al dedo.
En ocasiones hasta un centavo cae muy bien.

Tomasito, es tardadito, pero buena paga.
Se reconoce cuando una persona es honorable, no importa que tarde en pagar.

Cuánto tienes, cuánto vales.
Que los interesados te valoran por el dinero que tengas.

El mejor amigo del hombre es un peso en la bolsa.
El dinero ayuda a hacer amistades.

El dinero es un solícito criado, pero un amigo exigente.
El dinero sirve para todo y exige que se le multiplique.

Dinero mal colocado, en el lomo de un venado.
Que hay que ver dónde pone el dinero, sin riesgo.

No me pidas prestado, que estoy muy arrancado.
Se niega el préstamo por estar muy pobre.

No te entusiasme Carmela, que no todo lo que relumbra es oro.
Recomienda ir con paso moderado.

El hombre sirve para ganar dinero, y la mujer, para gastarlo.
Esto es una verdad a medias.

El que al buen árbol se arrima, buena sombra le cobija.
Dice que es bueno estar cerca del que te puede dar algo.

Es tan agarrado Marcelo, que le cuesta trabajo soltar la mosca.
Se usa cuando es difícil cobrar una cuenta.

A Esteban le sobra dinero para dar y prestar.
Se refiere a la gente cuando es generosa, aunque tenga poco capital.

En negocio con Celso, todo es cuestión de llegarle al precio.
Se usa cuando el interfecto tiene fama de interesado.

La deuda con Eugenia hay que darla por perdida.
Se reconoce que es una deuda incobrable.

A Carlos le entró la fiebre del oro y se lo llevó todo.
Que al nombrado le gustó mucho robar, como a Salinas la corrupción.

Agarraron ahorcado a Tranquilino y tuvo que vender su casa.
Se refiere a que se aprovecharon de su gran necesidad.

No prestes dinero a un amigo, pierdes el dinero y pierdes al amigo.
Es triste reconocer que la experiencia nos muestra la verdad de este refrán.

CUALIDADES

La pobrecita de Lupe descansa haciendo adobes.
Indica que dicha persona es adicta al trabajo.

Cuando tú vas, hijita, yo ya vengo.
Es una reflexión muy usada por las madres para hacer gala de su experiencia.

Lo conozco como a la palma de mi mano.
Se supone que uno conoce bien sus manos.

Es tan buen amigo Cipriano, que ya se hizo al pulque.
Habla que lo bueno y lo malo, entre amigos, se contagia.

Cuando lo vi llegar, se me quitó lo amargo de la boca.
El que espera, desespera, y se le amarga la boca.

La reflexión en el humano, lo puede alejar del peligro y el temor.
Nos recomienda reflexionar antes de actuar.

Le dije a Zeferino hasta la despedida.
Reconoce que le llamó la atención, fuertemente.

Modesta es una chucha cuerera a pesar de su nombre.
Habla de una persona muy capaz y sin embargo modesta.

Es tan adicta al trabajo, que lo hace siempre de más.
La persona que es golosa para trabajar no mide el tiempo.

Más vale caer en gracia, que ser gracioso.
Aconseja no exagerar la simpatía, y ser más natural.

Contigo ni a misa, porque me quitas la devoción.
Se adjudica a las personas desagradables.

Pobrecito del diablo, qué lástima le tengo.
Frase de Pito Pérez para despreciar alguna persona.

Los rencores ni restañan heridas, ni quitan el mal.
El rencor daña más al que lo siente, que al que lo inspira.

El hablador hace mucho ruido, y pela pocas nueces.
Se usa cuando una persona parlanchina nos quita la atención del trabajo.

Donde comen dos, comen tres.
Verdad a medias, dado que tres comen menos que dos, con la misma ración.

Sólo una madre ama y sólo un perro agradece.
Esta es una lamentación sobre la condición humana.

Hay muertos que no hacen ruido y son mayores sus penas.
No siempre el que más se queja, es el que más sufre.

No se me desavalorine mujer, que usted las puede.
Recomienda confianza en el valor propio.

El que es buen gallo, en cualquier muladar canta.
Dice que no importa el escenario, si la persona se sabe desenvolver.

Tiene un corazón de oro, sólo que no se le ve.
Se dice de alguien que regatea sus propios favores.

Con su modo de ser tan amable, se lo echó a la bolsa.
Cuando la gente es agradable, a todos les cae bien.

Éste sí se voló la barda.
Se dice cuando alguien hace una cosa muy acertada.

Chano agarró al toro por los cuernos.
Se usa cuando la persona se enfrentó a un problema.

La felicidad se trae en las manos, pero muchas veces, se desliza por los dedos.
Se dice que en la vida se puede ser feliz si uno lo desea, pero que hay que tener cuidado.

Eusebio es listo como un cerillo para todo servicio.
Se refiere a una persona servicial.

La palabra empeñada obliga al hombre.
Cuando se empeña la palabra, el compromiso es más firme, la firma.

Catalina es una perita en dulce, con todos se lleva.
Se dice de persona con buen carácter.

Quítate de ahí, mi hijita, que harto ayuda el que no estorba.
Cuando alguien que no sabe del negocio se empeña en ayudar, este refrán le cae como anillo al dedo.

ANIMALES

Burro chiquito, siempre mocito.
Dice que las personas de poca estatura se ven de menos edad.

El mayor mal de los males, lidiar con animales.
En este caso se refiere a cuando la gente es tonta.

Al perro más flaco se le cargan las pulgas.
Que los problemas de los pobres son más frecuentes que los de los ricos.

Solitos bajan al agua, sin que nadie los arríe.
Que las cosas van cayendo por su propio peso.

Los hijos de Domitila mataron a la gallina de los huevos de oro.
Se supone que echaron a pique el negocio familiar.

El león cree que todos son de su condición.
Se dice cuando se juzga al prójimo por uno mismo.

Más vale pájaro en mano, que ciento volando.
Se usa cuando hay que cerrar un negocio a las primeras de cambio.

A Moisés se lo llevaron entre las patas de los caballos.
Quiere decir que lo embaucaron en un negocio.

A Petra le gusta amarrar navajas.
Que intriga a las personas para provocar un pleito.

Estoy como el perro de tía Cleta, que nunca ladraba y cuando ladró, le rompieron la jeta.
Se dice de una persona que nunca opina, y el día que lo hizo, le fue muy mal.

Más vale ser cabeza de ratón, que cola de león.
Que todo el mundo puede ser importante en su casa, sin meterse a gobernar la ajena.

El buey solo, bien se lame.
Este refrán se complementa con el que dice: "Más vale solo, que mal acompañado."

De los chismes de la oficina hay que defenderse como gato boca arriba.
Recomienda no dejar crecer las murmuraciones.

Cada chango a su mecate y cada perico a su estaca.
Recomienda no tratar de ocupar puestos ajenos.

Tengo una suerte de perro amarillo.
Los perros callejeros son amarillos, y todo el mundo los patea.

Mira Juan no te hagas el mosco, si me cantas, no me piques y si me picas, no me cantes.
Se usa cuando una persona enfadosa se pone a dar mucha lata.

Con dinero baila el perro y sin dinero, te bailan como perro.
Cuando se tiene dinero uno ordena, y cuando no se tiene, a uno le ordenan.

Caballo grande, aunque no ande.
Dice que una mujer ha de ser atractiva, aunque sea tonta.

Aquí fue donde la puerca torció el rabo.
Se usa cuando no se encuentra la solución de un problema.

Una golondrina no hace verano.
Aunque las golondrinas vienen en verano, hay que esperar que llegue una parvada.

En boca cerrada no entran moscas.
Aconseja no hablar sin conocimiento de causa.

A caballo dado no se le ve el colmillo.
Aconseja agradecer lo que se recibe, aunque no sea de nuestro agrado.

De noche todos los gatos son pardos.
Dice que por la noche no se notan los defectos.

No le busques tres pies al gato, sabiendo que tiene cuatro.
Se usa para calmar a quien busca dificultades.

A Chanita le dieron gato por liebre.
Que la engañaron como a una china.

Se dio una mano de gato y debió haber sido de tigre.
Se complementa con el que dice: Aunque la mona se vista de seda, mona se queda.

Cuando el tecolote canta, el indio muere, no será cierto, pero sucede.
Añeja creencia de los indígenas mexicanos que tal vez ya no es vigente.

Alejo es como el ratón viejo, misterioso y ...tarugo.
La experiencia nos dice, que por más que se defiendan los ratones, siempre caen en la ratonera.

Gallina vieja hace buen caldo.
Especie de piropo para una mujer madura.

Pancha parece loro, habla hasta por los codos.
El loro y el hablador, acaban por enfadar.

Mono, perico y marciano, no lo toques con la mano, tócalo con un palito, por ser animal maldito.
Recomendación para no acercarse demasiado algún peligro.

A Chicho lo mandaron a jondear changos de la cola.
Que a la gente impertinente hay que mandarla con cajas destempladas.

Está tan enojado, que parece que comió gallo de pelea.
Es como si dijera que el gallo le pasa su valentía y ganas de pelear.

Hasta los gatos quieren zapatos y los ratones, calzones.
Cuando alguien exige satisfacciones sin tener derecho a ellas.

Apolonio mató dos pájaros con la misma pedrada.
Quiere decir que con un solo acto de justicia eliminó a dos sinvergüenzas.

La mula que no patea, muerde.
Habla de individuos de mala voluntad, que siempre tratan de hacer daño.

¿Qué pasó, comadre, la mejor mula se me echa?
Se usa para invitar a una persona a seguir en la fiesta.

El hombre hombre debe tener una vieja y una mula: la vieja, que no sea mula, y la mula que no sea vieja.
Recomienda que la mujer sea dócil, y la mula que sea joven.

Nomás que nos libre Dios, de una niña mosca muerta, de esas que ay mamá por Dios y hasta salen a la puerta.
Aconseja que la novia no sea hipócrita.

Mientras el gato descansa, los ratones se pasean.
Se dice que cuando los padres no están, los muchachos hacen lo que les da la gana.

De esas mariposas, no agarra mi sombrero.
Reconoce que hay sueños imposibles.

Manuela parece mula de noria, se la pasa dando vueltas.
Se dice del que finge trabajar y no hace nada.

Más vale arrear al burro, que cargar la carga.
Se refiere que es mejor dar órdenes que realizar el trabajo.

Nada más ve burro y se le ofrece viaje.
Se usa cuando alguien nos envidia algo.

Asegura Anastasio que no se llevará otra gallina el coyote.
Se dice que debe estar pendiente para que no le vuelva a suceder lo mismo.

Pobre hombre, nunca salió de perico, perro.
Se refiere al que no cambió nunca de posición económica.

Al amigo y al caballo, no hay que cansarlos.
Recomienda prudencia en el trato con las personas cercanas.

Otra vez la burra al trigo y la acaban de sacar.
Advertencia para que los jóvenes no reincidan en sus errores.

El pobre de Casimiro fue por lana y salió trasquilado.
Se usa para recomendar no entrar en negocios que parecen fáciles.

El que con lobos anda a aullar se enseña.
Se complementa, con el refrán que dice: "Dime con quién andas y te diré quién eres".

Aunque me veas vestido de lana, no creas que soy un borrego.
Advertencia para que no nos cuenten más la misma historia.

Cuando la mula dice no paso, y la mujer me caso, la mula pasa y la mujer se casa.
Se refiere a que cuando una mujer se enamora, no hay quién la convenza de lo contrario, pues se pone más terca que una mula.

Tan malo el pinto, como el colorado.
Esto quiere decir que tan malo es el candidato del PRI, como el del PAN.

Son los mismos gatos, nada más que revolcados.
Se dice que los mismos funcionarios de un sexenio pasan al otro.

Tanto molesta al buey manso, hasta que da la cornada.
Indica que cualquiera puede reaccionar haciendo daño.

Estaba Marieta con un ojo al gato y otro al garabato.
Dice que estaba muy atenta volteando para los dos lados.

Toma perico una sopa de tu propio chocolate.
Se podría complementar al refrán que dice: "Machetazo al caballo de espadas".

Según el sapo, es la pedrada.
Que a la mercancía se le adjudica el precio, según la pinta del cliente.

Después de que Tranquilino robó, se hizo ojo de hormiga.
Se dice que después de su fechoría se escondió.

Aunque los perros ladren, la caravana pasa.
Recomienda no hacer caso de opiniones ajenas y seguir caminando con la razón en la mano.

Cuando el perro es bravo, hasta a los de casa muerde.
La gente mala, hasta con su familia se ensaña.

Al mejor cazador se le va la liebre.
Reconoce que todos podemos tener errores.

No sale del cascarón y ya quiere poner un huevo.
Se usa cuando los niños quieren meterse en la plática de los mayores.

Después de la enfermedad, Mariano quedó como pollo descabezado.
Reconoce que quedó como si le hubieran dado una paliza.

¿Desde cuándo los patos les tiran a las escopetas?
Se usa cuando los empleados quieren corregir a sus patrones.

No se hizo la miel para el hocico del buey.
Que lo bueno no es para el que no lo merece.

No le da ni agua, al gallo de la pasión.
Se dice de un egoísta que no se preocupa por nadie, ni por nada.

Gallina que come huevos, aunque le quemen el pico.
Se usa cuando las personas tienen una mala costumbre que es muy difícil de quitar.

Entre mula y mula, nomás las patadas se oyen.
Se dice que cuando dos personas son bravas, nada más se oyen los pleitos.

Mal de muchos, consuelo de tontos.
No porque muchos padezcan se alivia uno.

Mateo cacarea mucho y no pone huevos.
Se usa para calificar de hablador alguna persona.

De grano en grano llena la gallina el buche.
Dícese que poco a poco se completa cualquier trabajo.

Los Galindo llevan una vida de perros y gatos.
Se dice de los que siempre discuten.

Le sacaste Modesto, el miedo no anda en burro.
Se refiere a que es mejor eludir un pleito.

Tiene salida de caballo árabe y parada de burro naco.
Que empieza con brío y acaba con desvarío.

La mujer y la sardina, en la cocina.
Refrán Español.

Dale zurra a la burra y tregua a la yegua.
Se dice que la burra entiende a palos y la yegua por la buena.

Para gato viejo, ratón tierno.
Se refiere a que el alimento ha de ser tierno en la tercera edad.

A fuerza, ni las gallinas ponen, ni los zapatos entran.
Se dice que por la mala, nada se consigue.

Cuando la rana críe pelos, te pagará Ricardo.
Por su puesto, nunca recobrará su dinero.

No rebuzna porque no aprendió la tonada.
Se refiere a personas de escaso entendimiento.

Hijo de tigre, sale pintito, o alguna mancha tiene.
Indica que la mala conducta también se hereda.

Deja en paz a Catita, porque si la toreas, te embiste.
Se usa cuando la persona es tranquila, pero de carácter.

Cuando el zacate crezca, ya el caballo se murió.
Se refiere a cuando llegan tarde los auxilios.

Son más las echadas, que las que están poniendo.
Se usa para tratar de evitar baladronadas.

Esa familia se acuesta como las gallinas.
Critica que se duerman muy temprano.

Hay gustos que merecen palos y tú tienes el gusto del zopilote.
Se dice del que le gusta hablar mal de las personas, dado que el zopilote come carroña.

Lo que hace el mono, hace la mona.
Dícese de quien gusta imitarlo todo.

Invítame a comer, que ando ladrando de hambre.
Cuando se tiene mucho apetito, se recuerda que el perro es el último en comer.

Los maridos y los gatos son de la misma opinión, que teniendo carne en casa, salen a buscar ratón.
Se dice que los maridos les gusta buscar problemas, aun teniéndolo todo en su hogar.

Ya te conozco, tus lágrimas son de cocodrilo.
Se usa cuando alguien aparenta llorar para sacar ventaja.

Perro que ladra, no muerde.
Se dice que el que hace alharaca no hará daño.

Sólo porque mató un perro, ya le llaman mataperros.
Se refiere a quien comete un error, se lo han de reprochar siempre.

Pomposo es un lobo con piel de oveja.
Se dice de es quien malo, pero aparenta ser un ángel.

La oveja negra resultó ser la oveja blanca.
Se refiere a que muchas veces se equivoca uno al juzgar a las personas.

Sólo los guajolotes mueren la víspera.
Refiérese a que cada quien muere cuando Dios quiere.

¿A ver quién le pone el cascabel al gato?
Se usa cuando nadie se atreve a aclarar posiciones.

Más claro, no canta un gallo.
Dícese cuando no hay lugar a confusiones.

Le dio machetazo a caballo de espadas.
Por ejemplo, cuando se roba a la policía.

Me admira que siendo liebre, no sepas correr en llano.
Es crítica para el especialista que falla en un dictamen.

La oratoria es un potro difícil de montar.
Se refiere a que pocas personas tienen ese don.

Andando de cacería, cualquier lagartija es pieza.
Refrán que usan los parranderos para hablar de mujeres.

Hesiquio es como el alacrán de Durango.
Se dice que estos animalitos son chiquitos pero venenosos.

Marcelino está más loco que una cabra.
Se supone que las cabras siempre corren, se tropiezan y parece que son desequilibradas.

Zurra a la burra y tregua a la yegua.
Quiere decir que al jumento se le pegue duro y a la yegua se le trate con dulzura.

Cuando Narciso empezó a hablar de espantos, se me puso la carne de gallina.
Se refiere a que la piel de la carne de gallina, está chinita.

Las ratas son las primeras que abandonan el barco.
Esto indica que los cobardes huyen en primer lugar.

El hijo del gato, mata ratón.
Los padres educan siempre con el ejemplo, por lo que se deduce que si un gatito se acostumbró a comer ratones, los va a comer siempre.

VALENTONADAS

MP

Los valentones presumen de que como las dan, las toman.
Se refiere a que no siempre el hablador responde como debiera.

Aquí no hay más cera, que la que arde.
Da a entender que el que habla es el determinante.

Si les pido, no me den, porque si me dan, lo tiro.
Esta es una expresión cargada de orgullo y de soberbia.

A que me den, que me ponga en donde hay.
Expresión cínica que habla de una afición a robar.

No necesito vejigas para nadar.
Expresión llena de insolencia, porque todos necesitamos de todos.

Si no me quieres, ni modo, de amor no se muere nadie.
Frase de una canción que puede de insolencia, o de resignación.

Se me hace chiquito el mar para hacer un buche de agua.
Se usa cuando se está seguro de los valores personales.

Nunca me hago para atrás, yo me moriré en la raya.
Se refiere a que se sostendrá lo dicho hasta sus últimas consecuencias.

Para mí, la pulpa es pecho y el espinazo, cadera.
Así debe de pensar el PRI cuando lo amenazan con elecciones populares.

Cuando tu vas, yo ya vengo.
Esto es un alarde de la experiencia alcanzada.

No pido ni amor al mundo, ni piedad al cielo.
Frase de Antonio Plaza para hacer gala de orgullo.

No me lo dice en la cara, porque me tiene miedo.
Se usa cuando se cree que uno inspira respeto.

No le tengo miedo a la muerte, pero sí, al más allá.
Aunque la muerte y el más allá son lo mismo, se utiliza para aparentar valor.

No compro cebollas por no cargar con los rabos.
Se utiliza para decir que no se aceptan autoinvitados.

Ahora sí, o cabrestean, o se ahorcan.
Se usa para obligarnos a seguir resistiendo la crisis.

Ahora lo verás huarache, ya apareció tu correa.
Se emplea como amenaza para moderar la conducta ajena.

Ahora sí calandrias, cantan, o les apachurro el nido.
Es una frase para poner en orden a los subalternos.

Yo no vengo a ver si puedo, sino porque puedo vengo.
Esto es un alarde de las capacidades propias.

Voy a echar una hablada, a ver si es chicle, y pega.
A este tipo de habladas nos tienen acostumbrados los políticos.

No hay cosa más sana, que cada quien haga lo que le de la gana.
Indica que siempre se debe respetar la voluntad ajena.

Llegaré al fin, o prende o se seca.
Se refiere a que se juega el todo por el todo.

Por mí y el cura, que se haga la sepultura.
Se dice cuando a nadie le importa nada.

Ahora sí, se acabó quien te quería.
Amenaza para asegurar que no se volverá a tomar en cuenta los acontecimientos.

Me puso barrido y regado, pero no le hice caso.
Se refiere a que no le importó el regaño.

Botellita de jerez, todo lo que digas será al revés
Se usa en juego de niños para regresar los insultos.

Botellita de vinagre, todo lo que digas será para tu madre.
Como el refrán anterior, también lo usan los niños, pero puede tener serias consecuencias.

A ver de cuál cuero salen más correas.
Reto después de una discusión.

Silencio ranas, que va a predicar el sapo.
Lo puede decir un líder, al dirigirse a sus agremiados.

Tú lo dirás de chía, pero es de horchata.
Se usa cuando lo dicho parece broma, pero es una verdad.

Toma perico una sopa de tu propio chocolate.
Se recomienda que al enemigo se le combata con sus propias armas.

A la mujer, ni todo el amor, ni todo el dinero.
Frase obsoleta, desde que la mujer trabaja.

Donde pongo el ojo, pongo la bala.
Hace ostentación de ser acertado en todo.

Este arroz ya se coció.
Es una hablada para presumir que se arregló algún asunto.

Qué me dura un diez de alcohol, con un cinco de amoníaco.
Con esta frase se hace ostentación de poderlas, de todas, todas.

No sé qué tienen mis ojos, que a puros tarugos veo.
Frase insolente que juzga a los demás como inferiores a él.

Primero muerto, que desairador.
Así diría alguien al principio de su borrachera.

Para más he nacido, padre mío.
Frase que se usa para desairar algún pretendiente indeseable.

Para todo mal mezcal, para todo bien, también.
Así dicen los borrachos al empezar la jornada.

Las leyes y las mujeres son para violarlas.
Frase de un delincuente cínico.

Para fastidiar a Andrés, le tengo un plan ranchero.
Cuando se planea con alevosía la forma de incomodar a alguien.

Qué favor le debo al sol por haberme calentado.
Frase de Pito Pérez para lamentar sus desdichas.

A mí qué me importa, pueden decir misa.
Expresión que se usa para señalar que no se toma en cuenta la crítica.

Quítate de mi camino, o cambiará tu destino.
Es una ostentación de los poderes propios.

Tú no me sirves ni para botana.
Hace gala de una supuesta superioridad.

Si sigues echándome habladas te voy a quitar el hipo.
Es como decir, espérame tantito y te doy tu merecido.

De lengua me como un plato.
Expresión de incredulidad sobre lo que dice alguien.

Al son que me toquen, bailo.
Frase que hace gala de las propias capacidades.

Saldré de aquí con los pies para adelante.
Indica que sólo muerto lo sacarán de donde está.

No le faltes a mi madre, porque mi madre, es mi madre, y a ti, te encontré en la calle.
Exaltación del respeto a la madre y del amor filial.

Mira, Juana, por este oído me entró y por el otro me salió.
Se puede complementar con el que dice: "A palabras necias, oídos sordos."

Pomponio, eres como el gallo de mi compadre, pelado, pero cantador.
Que para llevar bien la tonada, no hace falta buena educación.

Pa' los toros del Jaral, los caballos de allá mesmo.
Se dice que en un encuentro hay que enfrentar enemigos de la misma talla.

Te conozco Salvador, como si te acabara de desensillar.
En el México rural se conocía a los caballos al quitarles la silla.

Aquí nomás mis chicharrones truenan.
Lo usan los políticos para presumir de sus capacidades.

Hasta no verte Jesús mío.
Es un brindis de borrachitos consuetudinarios.

Esto no es una hablada, va derecha la flecha.
Es una frase que busca el pleito.

Debo no niego, pago no tengo.
Se refiere a la actual deuda de los barzonistas con los bancos.

Yo, Colón, y mis hijos cristobalitos.
Lo dicen los presumidos para aceptar cualquier reto.

Yo soy quien soy y no me parezco a nadie.
Ostentación de las propias capacidades.

La estatura se mide de la cabeza al cielo.
Frase de Napoleón y alegría de los chaparros.

A mí no me digan tía, que ni familiares somos.
Se usa para rechazar demasiada confianza.

Cuando digo que la burra es parda, es porque tengo los pelos en la mano.
Frase que usa quien tiene la seguridad de lo que está diciendo.

Este sujeto no me sirve ni para el arranque.
Locución muy antigua que indica que el sujeto no sirve para nada.

Yo soy padre, de más de cuatro.
Fanfarronada de mexicano valentón.

Toda alegría que no sea ocasionada por el alcohol es ficticia.
Broma del mexicano muy dicha entre los borrachos.

Dinero que no venga de las mujeres, es mal habido.
Otra broma del machista mexicano.

A mí ese chisme no me quita el sueño.
Ésta es una declaración de que los chismes no funcionan.

Yo le entro a los trancazos, aunque no sea conmigo el pleito.
Ésta puede ser frase de un aficionado a las peleas.

A mí ni la calaca me pela los dientes.
Ésta es frase de un valentón que no le tiene miedo ni a las calaveras.

Dos veces me le declaré a Francisca, pero voy por la tercera, porque esa es la vencida.
Indica que se debe repetir con más empeño el esfuerzo.

Miren sobrinos, o jalan parejo, o no estarán en mi testamento.
Se usa para obligar a trabajar a todos por igual.

¿No me oíste, Cuca?, mañana habrá misa para los sordos.
Se aplica a quien pregunta dos veces.

A Rafael, por maldito, le quitaron lo sabroso.
Señala que por bocón y hablador, lo tuvieron que aplacar.

Pancho ya se dio cuenta de que lo traen de un ala.
Quiere decir que ya supo que lo manejan como a un títere.

Que no te importen las habladas, Celso, al cabo que tenemos buenas agarraderas.
Se usa para presumir que se tienen amigos influyentes.

Ya nos encontraremos, Rubén, y arreglaremos cuentas.
Esta frase, más que un deseo, es una amenaza.

Por menos de lo que me dijo Antonio, me eché a otro al pico.
Esto también se entiende como una amenaza.

Nunca he sido mala reata, lo que tengo es mal torcida.
Esto es una promesa de amistad y una disculpa.

Para eso tengo lo mío, para no envidiar lo ajeno.
Se usa para presumir del valor propio por sobre de otra persona.

Si me va mal por dejado, que me vaya mal por no dejado.
Dícese que se debe mantener la dignidad en cualquier circunstancia.

Responda como los hombres, Vicente, con agallas y pantalones.
Ésta es una incitación para que el compadre vaya a una pelea.

Encendió la mecha Anselmo y se armó la gorda.
Se refiere a que el citado echó una hablada y se armó la camorra.

Me la juego con el más pintado, dijo Pablo Valentinoti.
Se usa entre aquellos que se sienten muy hombres.

Hay veces que un ocotillo provoca una quemazón.
Quiere decir que no se debe menospreciar a nadie.

Ni mujer que otro ha dejado, ni caballo que otro ha montado.
Ostentación del que cree ser el primero en todo.

El que es buen gallo, en cualquier muladar canta.
Se dice que el que tiene cualidades, surge en cualquier lugar.

El perico donde quiera es verde.
Equivale a lo que dice el anterior.

Peca igual el que mata la vaca, que el que le detiene la pata.
El delincuente y sus cómplices ameritan igual castigo.

Ya encarrerado el ratón, no hay gato que le dé alcance.
Quiere decir, que cuando una persona tímida se decide, nadie puede con ella.

Más vale ser cabeza de ratón, que cola de león.
El jefe de familia es el rey en su hogar, y no se cambia por nada.

Lo que borracho digo, Cecilia, en la cruda lo sostengo.
Se complementa con el refrán que dice: "Hablador tal vez, pero sostenedor, también".

CRÍTICA

Tres mujeres platicando, mandan el tiempo al diablo.
Quiere decir que cuando las mujeres se reúnen, el tiempo no cuenta.

¿Ay, si lo feo doliera, Julia estaría en un grito?
Crítica mal intencionada para una muchacha poco agraciada.

Fue una fiesta de rompe y rasga, la de los quince años de Espergencia.
Entre el pueblo las fiestas se realizan en la calle.

De que los hay, los hay, el trabajo es dar con ellos.
Es una crítica velada para quien no sabe explicarse.

Se despachó Pancracia con la cuchara grande.
Se usa cuando alguien toma más de lo que le corresponde.

La puso de vuelta y media, y se quedó tan tranquila.
Se señala la costumbre que tienen algunas personas de soportar regaños.

Cuando el cabello es largo, las ideas son cortas.
Frase que se usa sin discriminación de sexo, pero que no es certera.

Carlos es chino para no peinarse.
Que el interfecto no es natural en su conducta.

Yo soy como Juan Orozco, cuando como, no conozco.
Señala que las comidas son dignas de toda atención.

Se quedó como las novias de rancho, vestida y alborotada.
No sólo a las novias de rancho las pueden dejar plantadas...

Cuando se acercó Espiridión, me dio la patada a vino.
Se dice que el alcohol se denuncia solo.

Marieta que se creía tan guapa, ya dio el changazo.
Por hermosa que sea la persona los años son inclementes.

Ahora muy mustia, pero le dio vuelo a la hilacha.
Se usa cuando una persona mayor recuerda su juventud.

A ti te lo digo, mi hija, entiéndelo tú mi nuera.
La relación con las suegras nunca ha sido buena, por eso se triangulan las críticas.

Ahí donde la vez, hace caravana con sombrero ajeno.
Se refiere a quien presume de lo que no es.

Cuando mi compadre no está preso, lo andan buscando.
Señala que el dicho compadre siempre está metido en problemas.

Hasta que llovió en Sayula, ¡ay que pueblo tan reseco!
Se usa cuando al agradecer un cambio se critica la situación anterior.

Juana María tiene cuerpo de tentación y cara de arrepentimiento.
Cuando alguien es salerosa y no es bonita.

Cuando Senaido habla de sí mismo, se va hasta los cuernos de la luna.
Se usa para molestar a alguien pagado de sí mismo.

El discurso del diputado sólo fue una llamarada de petate.
Esto tampoco es una novedad, siempre sucede lo mismo.

Goza de tu abril y mayo, que ya te llegará el invierno.
Aconseja disfrutar la juventud, que pasa rápidamente.

Mire, Maruca, aquí sí hay tela de dónde cortar.
Señala que hay muchos aspectos dignos de criticarse.

Después de lo que le pasó a Hernán, el pobre es hombre al agua.
Se supone que lo mismo puede ser, que sufrió una enfermedad o que lo engañó su mujer.

Carmela es candil de la calle y oscuridad de su casa.
Hace favores fuera de la familia y no se ocupa de ella.

Alfredo es como los gallos de Hidalgo, grandotes, pero correlones.
No siempre los de mucha estatura resisten una pelea.

Caritino es tan confiado, que compró la silla antes que el caballo.
El tipo no sólo es confiado, también es tonto.

A María no se le puede hablar, está de mírame y no me toques.
Aunque la citada es de buen carácter, hay que tenerle cuidado.

Son tan amigas, que parece que están cortadas por la misma tijera.
Cuando los amigos lo son durante largo tiempo, llegan a parecerse.

Te enojas Luz María por quitarme estas pajas.
Se usa cuando la persona es muy enojona.

Caritina se encontró con la horma de sus zapatos.
Se refiere a que encontró a alguien que la puede dominar.

¡Ay!, cómo moja esta agüita.
Lamentación para señalar que alguien está molestando mucho.

Llegando, llegando, y prendiendo lumbre.
Se usa a la llegada de algún busca pleitos.

Es tan feo Tadeo, que parece espantajo de chilar.
Esta es una crítica mal intencionada antes de verse uno al espejo.

Mira, Lupe, como andas mal arreglada pareces chile deshebrado.
Se dice a las personas que andan mal vestidas y desaseadas.

Cleofas lo mismo sirve para un barrido, que para un fregado.
Esta crítica tiene dos aspectos, puede ser que sirva para lo que se ofrezca y puede ser que no sirva para nada.

A Clementina por presumida, le sacaron sus trapitos al sol.
El que mucho se alaba corre el riesgo de quedar al descubierto.

No te creo nada, Soledad, eso es un cuento chino.
Estamos suponiendo que los cuentos chinos no tienen explicación.

Para decir mentiras, Carlota es una bala.
Naturalmente se está calificando a Carlota de mentirosa.

Fuera de México, todo es Cuautitlán.
Añejo dicho que señala que las bellezas de la capital no existen en otra parte.

Ese Pancracio es un tal por cual.
Esta expresión significa que es capaz de cualquier mala acción.

A Meche la llaman güerita, color de pino.
En esta expresión hay una burla para alguna persona morena.

Sinforosa es tan creída, que se hace mucho del rogar.
Se observa que la persona no es tan interesante como ella cree.

Aurelia se colgó hasta la mano del metate.
Cuando una mujer se adorna demasiado sólo se alborota lo feo.

Lalito es tan vago, que en lugar de irse a la escuela se va de pinta.
Se dice que en el verano dan ganas de irse a Chapultepec y no a la escuela.

Eloína es tan frívola, que se cree la divina garza.
Esto se usa cuando alguien es muy pagada de sí misma.

La que de amarillo se viste, en su hermosura confía, o de sinvergüenza se pasa.
Aunque el amarillo es un color luminoso, puede resaltar algún defecto.

Las visitas de Lucha son como de diez minutos de peluquero.
Para el peluquero diez minutos equivalen a una hora.

Es tan pasguata, que le corre atole por las venas.
La sangre da vitalidad, y el atole se supone que da demasiada calma.

Lo que me diste Chana, no me supo ni a pepa de melón.
Aquí se trata de criticar lo mezquino de la gente.

Dorita me cae muy mal y para mi mala suerte, me la encuentro hasta en la sopa.
Parece mentira pero entre menos simpatía se le tiene a alguien, con más frecuencia se coincide con ella.

En ocasiones, el primero en la clase es el último en la vida.
No siempre los más estudiosos son los que triunfan.

El marido debe ser como la basura, tempranito para la calle.
En realidad, los jubilados estorban dentro de la casa.

Lástima de trajecito con ese vocabulario.
Aunque las personas se vistan bien, no siempre hablan con propiedad.

No me hacen caso, es como si los perros le ladran a la luna.
Jamás la luna escuchará a los perros y en ocasiones tampoco a uno lo toman en cuenta.

El que nace para maceta, no sale del corredor.
Aunque no siempre es cierto, es difícil que un tonto llegue.

El hombre más bueno sirve de tizón para quemar a los demás.
Éste es un refrán antiguo y feminista.

Sara en una boda quisiera ser la novia y en un entierro el muerto.
Sirve para referirse a una persona que siempre quiere destacarse.

Al que Dios le quiere dar, por todos lados le ha de llegar.
Se puede equiparar con el refrán que dice: "Suerte te dé Dios que el saber poco te importa".

¡Ay que descuidados son, siempre dejan un chiflón!
Esta crítica se refiere a quien no deja las cosas en su lugar.

No hay peor cosa que un pelado alzado.
Se refiere a cuando una gente inferior se da ínfulas de gran señor.

Es tan simplona Caritina, que parece una flor sin olor.
Este refrán se define por sí mismo.

Se juntó el hambre con las ganas de comer.
Se utiliza cuando dos amigos carecen de cualquier mérito.

¡Ay, cocol, ya no te acuerdas cuando eras chimisclán!
El Chimisclán es un pan parecido al cocol, pero no tiene ajonjolí.

Si no pones cuidado, quedas como el cohetero. Que si prende, le chiflan, y si no, también.
Señala lo problemático que es darle gusto a todo el mundo.

Tanto quiere el diablo a su hijo, hasta que le saca un ojo.
Es ésta una crítica para las madres consentidoras.

Anastasio se cree que va en caballo de hacienda.
Se usa cuando alguien habla con seguridad de un triunfo que no ha alcanzado.

Mercedes está dejada de la mano de Dios, no tiene por dónde la deseche el diablo.
Se usa cuando alguien es tan simple y poco agraciada, que nadie la acepta.

Cipriano por ser tan flojo nunca pasó de perico perro.
Es necesario reconocer que la pereza sólo lleva al fracaso.

Ahora resulta que los patos les tiran a las escopetas.
Con frecuencia los hijos quieren saber más que los padres.

Mariano, por ser tan ambicioso, se quedó como el perro de las dos tortas.
Este refrán se complementa con el que dice: "Me quedé sin Chana y sin Juana".

Celso se quedó durmiendo el sueño del justo.
Se usa para señalar que alguien no entendió nada de lo que se le explicó.

Ya porque nació en pesebre se cree que es el niño Dios.
Refiérese a que aunque la cuna sea humilde, no siempre cría personas importantes.

El abusivo siempre llega con música y acompañamiento.
Se usa cuando un invitado llega con dos o tres más.

Cómo quieres que te quiera, si te peinas con saliba.
Este refrán se usa para rechazar algún pretendiente de pocos recursos.

Ay, Juanita, el que no te conozca, que te compre.
Se trata de una crítica para quien esconde mucho sus defectos.

Pancha es tan coqueta que solita baja al agua, sin que nadie la esté arriando.
Es crítica para alguien que va en busca del sexo opuesto.

Es muy cierto y evidente, que el que es calvo es pura frente.
Existe la creencia de que la frente amplia es señal de inteligencia, aunque no siempre es verdad.

En la reunión de ayer a Ligia le pasó como a las parteras de rancho, que van por ellas en coche y las despachan a pie.
Quiere decir que cuando hay urgencia se va a rogar a la persona para que venga y pasado el trance la dejan regresar como puede.

A Maclovia le quedó lo que a las mulas viejas, el relincho y la patada.
Se usa cuando alguien presume de su pasado.

Pobre Ulogia, la hija salió con su domingo siete.
Aunque viene de una canción infantil, se refiere a las madres solteras.

Chole es tan canija, que nunca da su brazo a torcer.
Alude a una persona que nunca acepta su error.

Esa señora es sólo un parche mal pegado de mi amigo Carlos.
Significa que la aludida no es la esposa legítima.

No bebas en chiquihuite porque se te sale el agua.
Sabio consejo para el que no tiene cuidado de elegir sus amistades.

A Zeferino no le amarraron las manos de niño, por eso es inquieto.
Se usa para hablar de alguien metiche.

Chona es tan floja, que no levanta ni un popote.
Se trata de crítica abierta a quien no se acomide a ayudar en el quehacer.

Justo es tan conchudo, que ni suda ni se acongoja por nada.
Es una crítica para quien no refleja interés en los asuntos.

Mejor tiro esa ropa, ni para Dios, ni para el diablo.
Se usa para resolver una disyuntiva Salomónica.

Al picapleitos le gusta atizarle al fuego.
Claramente se habla de los abogados.

Pobre de Fausto, no sabe ni la o por lo redondo.
Se reconoce la ignorancia de alguna persona.

Teresa todavía no sale del cascarón y ya quiere piar.
Aquí se alude a los niños que critican a sus padres.

Mira, Lupe, no te hagas que la Virgen te habla, que al cabo ni señas te hace.
Significa que hay personas que presumen de sabelotodo.

Es tan intrigante Juana, que viene por polvos para estornudar.
Alude a personas que gustan de regar los chismes.

Celso le echó mucha crema a sus tacos.
Se trata de una persona que presume demasiado de algo que no tiene.

Está tan mal hecha, que parece un costal de papas.
Entre amigas se usan críticas en ocasiones muy crueles.

Es tan envidiosa Chole, que no puede ver ojos bonitos en otra cara.
Los envidiosos no reconocen cualidades en otra persona.

Escuchó repiquetear Javier, pero no supo ni por dónde.
Hay personas que ostentan una cultura ajena y no la saben explicar.

Es tan pesado Perdomo, que parece de plomo.
Se supone que poco plomo puede hacer un kilo.

Cuando supo la verdad, se le quitó lo amargo de la boca.
Se usa cuando una persona ansiosa está suponiendo cosas negativas.

Mario le pintó un violín a Juan y lo tiró de a loco.
Recomienda no aceptar provocaciones a un pleito.

Amelia es un pobre piojo resucitado.
Este tipo de animales se hacen pasar por muertos.

A Goya nada más le dicen mi alma, y quiere su casa aparte.
Habla de las mujeres que creen hasta lo que no les prometen.

Tiene Jacinta las piernas tan flacas, que parecen chorros de atole.
Este refrán es tan obvio, que no amerita explicación.

Rosita tiene las piernas como de poste.
Como en el refrán anterior, no requiere ser aclarado.

Cuando le enseñaron la cuenta a Eulalio, peló gallo.
Se aplica a las personas que desaparecen en los momentos críticos.

Es muy prudente Vicente, pero perdió los estribos.
Habla de cuando se saca a alguien de sus casillas.

Mi compadre Santiago es un pájaro de cuenta.
Dice que el pasado del interfecto es borrascoso.

Ya nadie toma en cuenta a Jacobo, porque es puro jarabe de pico.
Se usa cuando alguien hizo fama de desvirtuar informaciones.

¡Ah qué Eustolio!, puso pies en polvorosa cuando la novia lo encontró con otra.
Se usa cuando alguien rehúye dar explicaciones.

El que a feo ama, bonito le parece.
Es la versión mexicana, de que las cosas son del color del cristal con que se miran.

Qué suerte tienen los que no van a misa.
Es una frase de los que envidian la suerte de otros.

Dante se ve muy elegante, con bastón y con guante.
Esto es una crítica para el que no siempre anda bien vestido.

Tomás siempre anda a salto de mata.
Se usa para señalar a los delincuentes que se andan escondiendo de la justicia.

Rosa es muy delicada, por quítame de aquí estas pajas, se enoja.
Se usa para recomendar cuidado con las personas que se dan por aludidas con cualquier cosa.

Hilda se suelta el pelo para hablar en público.
Que no se inhibe frente al público.

Inocencia sudó la gota gorda al ver la conducta del marido.
Indica que la conducta ajena nos puede, en ocasiones, avergonzar.

Sólo trajo al marido, de música y acompañamiento.
Cuando se critica que una persona no sepa llegar sola a ningún sitio.

Entre más habla Isidro, más enseña el cobre.
Este refrán es lo contrario del que dice: "En boca cerrada, no entran moscas".

Yerba mala, nunca muere y, si muere, ni falta hace.
Se usa para criticar a una persona que no es deseable.

Ya está muy vieja la novia de Marciano, no se cuece al primer hervor.
Es una crítica obvia para quien se casa siendo mayor.

Chona tiene más cola que un papalote.
Este refrán alude al pasado de las personas.

Goyo es tan hipócrita, que tiene más recámaras que un hotel.
Habla de una persona llena de recovecos.

Esther es de las que tiran la piedra y esconden la mano.
Aquí se alude a las personas que son malas, pero mustias.

Todas las cosas se parecen a su dueño.
Se usa para criticar que tanto el coche como el dueño están pasados de moda.

Tenía un hambre loca, comió a dos carrillos.
Este refrán habla de que no se debe llenar la boca con la comida.

En la mesa y en el juego, la educación sale luego.
El juego de azar y durante la comida se conoce a la persona bien educada.

Una cosa es la amistad y otra la conchudez.
Aquí se recomienda prudencia a los amigos.

Carmela se puso sus moños, no quiso escuchar al novio.
Se dice cuando alguien se finge enojada.

Paleón y Francisco siempre andan juntos, parecen uña y carne.
Naturalmente la uña y la carne, son inseparables.

Lupita hace las cosas sin ton, ni son.
Así se critica a quien no lleva un orden en su trabajo.

Luis es muy joven para que se le canse el caballo.
Así se critica a quien no tiene amor al trabajo.

Qué te falta, Manuel, guapo eres, rico eres, ¿qué te falta?: ¡Vergüenza!
En esta crítica hay un poco de envidia para el aludido.

Ay, Carmela, por qué te gusta contar dinero en la casa de los pobres.
Aquí hay un poco de envidia para la fortuna de la amiga con suerte.

Don Teofilito dice que el corazón no envejece, que el cuero es el que se arruga.
Concede a la tercera edad que todavía se puede enamorar.

Se agarró de un clavo ardiendo, Margarita, y se casó con un viejo.
Cuando es muy grande la diferencia de edades y se hace un matrimonio sin amor.

A Gumersinda le gusta el trote del macho, aunque la sangoloteen.
Este refrán es para reconocer que hay personas que gustan del mal trato.

Una cosa es Juan Domínguez y otra, no estés molestando.
Esto sirve para quitarse de encima a quien aburre con su insistencia.

Un chivo pegó un reparo y en el aire se detuvo, hay chivos que tienen madre, pero éste, ni madre tuvo.
Quiere decir que se encontró la horma de sus zapatos.

Unos son los de la lana, y otros son los de la fama.
Establece la diferencia que hay entre ser discreto y ser fanfarrón.

Es ventajoso Ernesto, que sólo busca al amigo para sacarle algo.
Quiere decir que ni la amistad respeta el interesado.

Andrea anda en todas las fiestas, parece ajonjolí de todos los moles.
Se critica a quien se parece a la Divina Providencia, está en todas partes y nadie la puede ver.

Canuto es celoso de la honra y desentendido del gasto.
Se refiere a una persona exigente, pero que no da para comer.

La pobre de Cirila, parece olla de fonda, fregada bocabajo.
Aquí aludimos a una persona que está muy trabajada y a quien tratan mal.

Fela está como las vacas de los pobres, mal comida y bien ordeñada.
Se usa cuando se reconoce que una persona trabaja demasiado para el sueldo que percibe.

Clara es candil de la calle y oscuridad de su casa.
Se dice de quien en su casa no hace nada, y presume de trabajadora en casa ajena.

A Jesusa hasta lo que no come, le hace daño.
Se habla de una persona que se da por aludida en todos los casos.

Ya que no fuiste tinaja, hoy andas de tapadera.
Se dice de quien no fue novia y ahora anda de acompañante.

Cuando tu prima te crítica, respira por la herida.
Aquí se reconoce que en ocasiones se ve la paja en el ojo ajeno.

Doña Macabra se viste como del año del caldo.
Calificamos de año del caldo, a una fecha indeterminada, pero muy antigua.

Sofía es como la chía, prieta, babosa y fría.
La chía hace una bebida refrescante que debe reunir las cualidades indicadas.

Alfredo es puro jarabe de pico.
Se refiere a una persona que promete mucho y no cumple nada.

A donde va Vicente, a donde va toda la gente.
Estamos aludiendo a la masa que sigue a los políticos sin saber por qué.

Plutarco tiene el coco duro y vacío.
Se alude a un hombre que no tiene cerebro, ni inteligencia.

El novio de Chana es tan pobre, que no tiene ni cuartilla.
Se refiere a un tipo sin un centavo.

Crisóforo pide un puro para fumar y otro para figurar.
Este refrán se usó cuando el puro era una señal de estatus.

Conrado se puso un candado en la boca y no dijo nada.
Es una actitud prudente que todos debiéramos observar.

Fue una cena de negros, que parecía casa de locos.
Se dice de las reuniones en las que siempre hay trifulca.

Pobre de Valentín, puso una barbería en tierra de lampiños.
Se usa para predecir el fracaso de algún negocio.

Don Panuncio está dando patadas de ahogado.
Se dice cuando alguien que no tiene posibilidades, intenta sobresalir.

Don Quintín tiene cara de limón exprimido.
Se dice de una persona amargada.

Es una vaquetona doña Margarita, por eso nadie la aguanta.
Se usa para criticar a una persona brusca, floja y desvergonzada.

Donde tu pisas, Marieta, ni zacate sale.
Se habla de una persona que tiene mala suerte.

Epigmenio tiene cara de huevo de cócona.
Cócona es otro de los nombres del guajolote y los huevos son pecosos.

Muchachas de dieciséis no desesperéis, que Lolita Collazo, casó de cincuenta y seis.
Se usa para recomendar calma y prudencia a las jóvenes en edad de merecer.

Gustavo es como el perro del hortelano, ni come, ni deja comer.
Este refrán se aplica a personas envidiosas y ambiciosas.

Telésforo no dispara, ni en defensa propia.
Elude llamar miserable al interfecto.

Hombre honrado, antes muerto que injurado.
Se dice del que no soporta ninguna desconfianza.

Candelaria es como la circasiana, mucho sinvergüenza y poco rencorosa.
Sirve para reconocer que se puede ser de oficio dudoso, y alma generosa.

Es tan floja, Quirina, que le pide permiso a un pie para levantar el otro.
Se dice de una persona perezosa, que hace las cosas con lentitud.

Jaime anduvo con pitos y flautas antes de hacer su tarea.
Indica que la gente indolente usa muchos pretextos.

Sinforosa me choca por su voz de pito rajado.
Se dice de quien por tener una voz destemplada, lastima el oído.

Elena y Rosita se dan el quien vive en cuanto a belleza.
Se reconoce que ambas tienen cualidades similares.

Senobia es tan indiferente que ni el sol la calienta, ni el agua la enfría.
Se opina de una persona que nunca manifiesta sus emociones.

Alberto come mucho, dice que lo que no mata, engorda.
No está bien hacerle caso a este refrán, porque el mucho comer puede no matar, pero sí, enfermar.

El que nace para real, nunca llegará a peseta.
Señala que el que nace tonto, nunca llegará a sabio.

Pobre Juan, es tan sucio que siempre que pasa deja un fuerte olor a chivo.
Se dice de alguien que huele muy mal.

Ponciano es capaz de raparse para no peinarse.
Se critica a alguien que rehúye la limpieza.

Celso quemó su último cartucho.
Se puede entender que esa persona recurrió a algún extremo.

Esa mujer anda picando muy alto.
Se dice de alguien que quiere subir en la escala social.

A Elena le gusta andar dando picones.
Se dice de alguien que gusta de provocar celos.

A Chema le salió el tiro por la culata.
Se usa para decir que de lo que dijo, se entendió lo contrario.

A Manuel le dicen el diente frío.
Porque siempre se anda riendo (enseñando la mazorca).

Éste es mi macho, y ni quien me baje.
Se refiere a la persona que se obstina en algo.

La cáscara guarda al palo.
Disculpa de la gente que no se quiere bañar.

Fue tan prepotente Ponciano, que le pararon los tacos.
Se usa para señalar a alguien a quien le ajustaron las cuentas.

A esa niña le comieron la lengua los ratones.
Se dice así cuando los niños no quieren hablar.

Le dieron su soplamoco por imprudente.
Se refiere a que lo callaron por meterse en lo que no es de su incumbencia.

A Marina le gusta mucho el borlote.
Se aplica a una persona mitotera por naturaleza.

Ese pobre hombre ya anda volando muy bajo.
Se dice de quien tiene pocas posibilidades de triunfo.

Para vergüenzas no gano contigo, María.
Se usa para señalar constantes errores de alguna persona.

Tadeo se ve feo porque tiene poca pluma.
Se aplica a los que tienen poco pelo.

Mejor puse tierra de por medio, antes de casarme con Sinforosa.
Se usa para eludir cualquier responsabilidad.

Sebastián es tan vacilador, que se pitorrea de todo el mundo.
Se usa cuando alguien hace burla de todo.

Epigmenio por angas o por mangas, nunca llega a tiempo a ningún lado.
Dícese al que es impuntual y que siempre encuentra disculpas.

El que no ha usado guaraches, las correas le sacan sangre.
Se usa para criticar al que quiere parecer más de lo que es.

A los Salinas, cuando les canta un pobre, no les gusta la tonada.
Se dice que los pobres, o dicen las verdades, o piden prestado.

El tesoro de la mujer es la virtud.
Ésta es una sentencia muy antigua, que en estos tiempos, hasta como que da risa.

La mancha de la pobreza desde lejos se conoce.
Lo cierto que la pobreza, como la riqueza, no pueden ser disimuladas, pero esto no deja de ser un refrán clarista.

Genio y figura, hasta la sepultura.
Se supone que nadie cambia manera de ser en vida.

Emiliana no niega la cruz de su parroquia.
Así se dice de quien saca las costumbres y las acciones de sus padres.

Como nunca pastor, siempre borrego.
Es una opinión despectiva para quien no destaca en su oficio.

El bien y el mal, a la cara salen.
Éste se complementa, con el que dice: "Trampas, a la cara salen".

Cayetano cambió el pan de huevo, por tortilla dura.
Así se critica a quien cambia una buena mujer por otra que no lo es.

Mujer que viste de seda, siempre en su casa se queda.
A la mujer emperifollada, con frecuencia la dejan plantada.

Enfermedad, la mía, la de mi vecino, es maña.
Siempre hay justificación para uno mismo, y no para el prójimo.

Llegó Serafina con la lengua al hombro.
Se dice a que llegó muy cansada, sudando la gota gorda.

A Prócoro no le gusta aflojar la lana.
Se complementa con las expresiones que dicen: soltar la mosca, dar la corta, untar la mano...

A Mariano le dicen el molcajete, porque está negro y cacarizo.
Este es un apodo cruel y ofensivo.

Se quedó pensando en la inmortalidad del cangrejo.
Así se dice cuando una persona se queda ensimismada viendo a un lugar fijo.

Arcadia está en las vivas cañas.
Esta expresión se complementa con la que dice: "Está en la cuarta pregunta, o en la quinta inopia".

Esteban es un hombre peligroso, le gusta vaciar los bolsillos ajenos.
Se refiere a que la persona aludida tiene malas mañas.

Mira como viene Cleotilde, parece que se cayó el payaso encima.
Se refiere a una persona que se maquilló con exceso.

A Saturnino no trajeron a "Mamache"
Quiere decir a cuestas, sobre la espalda, en calidad de fardo, por tan borracho que estaba.

Yo soy decente, dijo Eulalia, sólo que me cuelgan milagritos.
Se refiere a que la mala reputación de una persona, se debe a chismes.

Dice Servando que la "Gallareta" le hace ojitos.
La Gallareta es el apodo de una muchacha que le guiña el ojo a todos.

Le llaman Elena, a Martina, por no decirle "El enano".
Aquí se refiere a una persona pequeña de estatura.

Le cayeron a Felipa con los pelos de la burra en la mano.
Quiere decir que la sorprendieron al momento de cometer un atropello.

Yo no hablo con Andrés, nunca me pongo de acuerdo, y siempre caigo en lo mismo.
Lamentable conclusión de que hay personas con las que no se puede entablar una conversación.

Enedina saltó las trancas.
Se refiere a que la persona pasó sobre lo establecido en su hogar.

A don Mercé se lo llevó la bola de años.
Se refiere a que la persona se murió por ser muy vieja.

No me gusta ir con Irene, porque le gustó mucho el borlote.
Se refiere a una persona mitotera y conflictiva.

CONSEJOS

La que no enseña, no vende, y la que enseña, se mosquea.
Consejo ambiguo para la mujer.

Cancélese la puerta falsa, del no sé, o no puedo.
Aquí se refiere a que querer, es poder.

Como los buenos toreros, lo mejor es retirarse a tiempo.
Este es un buen consejo para la gente del espectáculo, y para los políticos.

Más vale paso que dure, que trote que canse.
Recomienda tener calma para alcanzar el éxito.

El que de tu casa se aleja, de la suya te retira.
Señala que es bueno darse por enterado con el primer desaire.

No hay mal que por bien no venga, ni tonto que se lo aguante.
Indica que no se debe precipitar al juzgar situaciones dadas.

¡Vámonos muriendo todos, ahora que entierran gratis!
Esto puede ser la divisa de los gorrones.

La mujer compuesta, quita al marido de la otra puerta.
Celebra que las esposas se esmeren en su arreglo personal.

El que con niños se acuesta, mojado amanece.
Indica que los jóvenes pueden ser más listos que los mayores.

Nunca digas de esta agua no he de beber.
Nos recuerda que la vida nos puede colocar en situaciones no deseadas.

Ay, riata, no te revientes, que es el último jalón.
Esto se usa para pedirle más aguante, al pueblo.

Gasta como rico y ahorrarás como pobre.
Recomienda comprar lo mejor, aunque cueste más, porque durará más.

¿Quién te hace rico?, quien te mantiene el pico
Se reconoce que las comidas son el primero y principal gasto que hacemos todos.

Más vale una vez colorada, que cien descoloridas.
Dice que es mejor entrar directo que andar con evasivas.

Lo que se ha de pelar, que se vaya remojando.
Recomienda no dar muchas vueltas para tratar el asunto más interesante.

Cuenta tus males, a quien te los torne en bienes.
Este es un consejo un tanto interesado.

El que paga lo que debe, sana del mal que padece.
Ya se sabe que saldar una deuda deja una gran satisfacción.

No hay que salir de la casa, ni llegar a la ajena, con la vejiga llena.
Es una recomendación para no visitar baños ajenos.

A la mujer, no se le ofende, ni con el pensamiento.
Frase poética de Amado Nervo.

No hagas cosas malas, que parezcan buenas, ni buenas, que parezcan malas.
Sabemos que la gente juzga por lo que ve.

Déjate ver a cada rato, y olerás a gato.
Se dice que el mucho prodigarse da malos resultados.

Cuando todos discuten, yo, pico de cera.
Ejemplifica que no hay que meterse en problemas ajenos.

El que tenga cola de zacate, que no se acerque a la lumbre.
Esto es para que no se presuma de bueno, con la conciencia sucia.

Ninguno diga soy padre, si no lo afirma la madre.
Sólo la mujer sabe quién es el padre de sus hijos.

No hay atajo, sin trabajo.
Este refrán se complementa con el que dice: "No dejes camino real, por vereda".

El trato engendra cariño.
Aunque es verdad no siempre se debe recomendar.

Cállate, Caralampio, que las paredes oyen.
Aquí se recomienda prudencia, con exageración.

Te voy a ayudar, Jacinto, hoy por ti, mañana por mí.
Este es un favor, que se cobra de antemano.

Cuando una puerta se cierra, se abren cien...
La vida no nos deja nunca al garete, siempre nos da oportunidades.

No puedo hablar, Camilo, hay moros en la costa.
Recomienda discreción frente a los niños.

Con el tiempo y un ganchito, hasta las verdes se alcanzan.
Es un consejo para consolar a quien se empeña en tareas superiores a sus fuerzas.

Si sigues de presumida, te vas a quedar como el ánima sola.
Aquí se reconoce que la sencillez es lo mejor en la vida.

Se quedó solo, como el que chifla en la loma.
Este es un dicho antiguo de cuando había lomas en el D.F.

El mediador se queda entre la espada y la pared.
El que media entre dos opuestos, con alguno queda mal.

El que mete paz, saca más.
Recomienda no intervenir en discusiones ajenas.

El que da y quita, con el diablo se desquita.
Cuando se regala algo, debe ser para siempre.

Come camote y no te de pena, cuida tu casa y deja la ajena.
Aquí se recomienda no opinar sobre otras vidas.

De dos que se quieren bien, con uno que coma, basta.
Es posible que así sea, pero se come menos.

Lo barato, cuesta caro, ya lo decía mi abuelita.
Este es un consejo para bien entender el ahorro.

No me regales un pescado, enséñame a pescar.
Esta es una paráfrasis de lo que recomienda Jesucristo.

Lo mejor de los dados, es no jugarlos.
Es un magnífico consejo para no caer en el feo vicio del juego.

Gallo, caballo y mujer, por la raza lo has de escoger.
Cuando se habla de raza, se refiere a cualidades.

Por su necedad, lo mandaron con cajas destempladas.
Generalmente, los necios enfadan.

Si sigues tan confiado, te van a jugar rudo.
También el exceso de confianza provoca dificultades.

Más vale creerlo, que tratar de averiguarlo.
Revela un poco de desconfianza.

El que tenga tienda, que la atienda, y si no, que la venda.
Se recomienda no desatender lo que se tiene entre manos.

Más vale llorarlas muertas, que deshonradas.
Habla de antiguas costumbres cuando la mujer debía ser incólume.

Mujer que sabe latín, ni pesca marido, ni tiene buen fin.
Este es un refrán pasado de moda que prefiere la ignorancia en la mujer.

Músico pagado, toca mal son.
No hay que confiar en lo que se paga por adelantado.

No hay mejor cobrador, que un tramposo.
Aquí se supone que el tramposo conoce todas las mañas que se usan para no pagar.

Aquí caigo, pero allá me levanto... esto último es lo importante.
Se observa que la vida es la mejor escuela para todos.

Hay que irse con pies de plomo.
Sirve para recomendar calma en asuntos importantes.

Ay, Procopio, no te andes por las ramas.
Recomienda enfocar todas las gestiones al asunto principal.

Ay, Marta, ves la tempestad y no te hincas.
Se reconoce que hay problemas que sólo Dios nos puede ayudar a resolver.

Todas las cosas se parecen a su dueño.
Refrán antiguo que se parece al que dice: "Como te ven, te tratan".

Acuérdate, Macaria, que hay que tener los pies en la tierra.
Aquí, se recomienda no salirse de la realidad.

Hay que poner todos los huevos en la misma canasta.
Recomienda que hay que diversificar las inversiones.

¿Si quieres saber quién es Inés?, vive con ella un mes.
La convivencia descubre los defectos del prójimo.

Ya no la quieras con chongo, aunque sea pelona.
Se dice que no se le deben poner muchos requisitos a la vida.

El que temprano se moja, tiene tiempo de secarse.
Se dice que el que anticipa su trabajo, le rinde el tiempo.

Más vale llegar horas antes, que minutos después.
Es una forma de recomendar puntualidad.

Déjalo que corcovee, que ya agarrará su paso.
La usan los señores para no darse por aludidos con los desprecios de su pretensa.

Arréglate bien, Clarita, porque la mujer es el escaparate del marido.
Efectivamente la esposa es la que da categoría a la pareja.

Es mejor ser jamón, que ser cecina.
Lo dicen los hombres que gustan de mujeres gordas.

Cuídate, Procopio, porque el miedo no anda en burro.
El miedo llega rápidamente por eso hay que tener cuidado.

El que acabe primero, que ayude a su compañero.
Con este refrán se educaba a los niños para ser solidarios entre sí.

Para conquistar a Eufrosina, le ofreció el oro y el moro.
Este refrán pinta, lo mismo a un enamorado, que a un político.

Me quedé tranquila, cuando le eché de mi ronco pecho a Modesta.
Cuando se habla claro, hasta se respira agusto.

Si quieres caerle bien, échale copal al Santo.
Este es un refrán interesado, que recomienda hacerle la barba a alguien.

Mira, Jesusa, si me das el remedio, dame también el trapito.
Las opiniones no valen si no se acompañan con hechos.

Cállate, Rubén, no le busques ruido al chicharrón.
Aquí se hace alarde de la superioridad del que habla.

No chotees la mercancía, porque no se vende.
Se complementa con el refrán: "Si no compra, no magulle".

Nunca falta un roto para un descosido.
Esta frase es consuelo para la que amenaza con quedarse solterona.

No existe palabra mal dicha, que no sea mal tomada.
Aunque esto es verdad, en parte, hay palabras que no admiten equivocación.

No hay "linelo, no hay lopa", así decía el chinito.
No se debe entregar una mercancía, sin recibir su precio.

Nicandro, no arrojes margaritas a los cerdos.
Esta frase se usa para recomendar que no se desperdicien explicaciones con quien no las entienda.

No se puede chiflar y comer pinole.
Se puede complementar con el que dice: "El que a dos amos sirve, con alguno queda mal".

Lo Cortés, no quita lo valiente.
Todo en la vida se puede enfrentar con educación.

No se puede predicar y andar en la procesión.
Este refrán también equivale al que dice: "Que el que a dos amos sirve, con alguno queda mal".

Mejor no te metas en honduras, María.
Aquí se recomienda no intervenir en circunstancias difíciles.

Todos hijos, o todos entenados, todos vestidos, o todos encuerados.
Este es un refrán democrático, que pregona la igualdad.

Fiesta y cochino, en la casa del vecino.
Hay que reconocer que los mexicanos no sabemos comportarnos en reuniones.

El mundo es de los audaces.
Esta es una verdad que hay que tomar con cuidado.

Favor cantado, favor pagado.
No se debe reclamar el favor que se hizo, pues pierde todo valor.

Lo olvidado, ni agradecido, ni pagado.
No se deben olvidar los favores recibidos.

No hay camino más seguro, que el que acaban de robar.
Actualmente, se ha perdido la certeza de este refrán, pues los robos se repiten con frecuencia.

Hay que pedalear macizo, si quieres hacer dinero.
El trabajo continuado, sí nos lleva por el camino del éxito.

Peléate con todo el mundo, menos con la cocinera.
Se refiere a que no hay que buscar pleito con quien nos alimenta.

Secreto de tres, secreto de todos es.
Casi nadie guarda un secreto, hay que tener cuidado al confiarse.

Quien juega limpio, limpio se va a su casa.
Esto es un consejo de jugadores tramposos.

Quien a muchos amos sirve, con alguno queda mal.
Recomienda no comprometerse con más de un trabajo.

Canta, Zeferina, porque quien canta, sus males espanta.
Para seguir viviendo es necesaria la alegría.

Tanto va el cántaro al agua, hasta que se quiebra.
Aquí se recomienda no repetir una situación, porque se puede tener un fracaso.

Quien pega primero, pega dos veces.
Con este refrán hay que tener cuidado, porque puede no darle oportunidad para la segunda vez.

No te vayas, Chona, que también en San Juan hace aire.
Los humanos vamos cargando nuestros problemas a donde quiera que vayamos.

Es mejor, un minuto tarde, que un minuto de silencio.
Recomienda no exagerar la puntualidad, a riesgo de perder la vida.

Ahora sí, que ni llorar es bueno.
Indica que cuando la pena sobre pasa la posibilidad del llanto, nada se puede hacer.

El que presta, lo que ha menester, el diablo se ríe de él.
Nunca se debe prestar lo indispensable.

Las cosas se toman, como de quien vienen.
No se debe dar importancia a todo lo que la gente diga.

Calladito, calladito, pero Cástulo tomó las de Villadiego.
Cuando el interfecto se va sigilosamente.

Compra a un presumido en lo que vale, y véndelo en lo que él cree que vale.
La gente presumida siempre se cree superior a los demás.

Ay, Narciso, no te pongas con Sansón a las patadas.
Dicen que no hay que meterse con quien te puede ganar.

Satisfacción no pedida, acusación manifiesta.
El que se pierde en explicaciones, se está acusando a sí mismo.

Hay que desconfiar del médico joven y del barbero viejo.
A los jóvenes les falta experiencia y a los viejos les tiembla la mano.

La venganza es dulce, Ramona, pero te puede dar diabetes.
Es bueno para recomendar el perdón, más que la venganza.

Lo que tengas en tu pecho, no lo confíes a tu amigo, que acabadas amistades, será tu peor enemigo.
Desgraciadamente, no todas las amistades son eternas.

No hagas caravana con sombrero ajeno.
Se dice que no hay que colgarse milagros que no corresponden.

Déjalas que se rasquen con sus propias uñas, no las ayudes.
Este refrán enseña que cada uno debe responder por sí mismo.

Agua que no has de beber, déjala correr.
Recomienda que no estorbes lo que no ha de ser tuyo.

Hay que vivir, como se debe, aunque se deba, con lo que se vive.
Este refrán es tendencioso, porque no se debe vivir aparentando.

Amor, dinero y cuidado, no pueden ser disimulados.
En los tres casos estos bienes se hacen notar.

A buena hambre, no hay pan duro.
En tiempos de crisis, se come lo que se puede.

Cuca, acuérdate que no hay que gastar la pólvora en infiernitos.
Enseña que no hay que preocuparse por pequeñeces.

Nunca solicites comisión que no se te encomiende, ni servicio que no te impongan.
Generalmente, la gente comedida siempre queda mal.

Francisca es tan indiferente, como quien ve llover y no se moja.
Se usa para señalar a quien nada le interesa.

Vale más un grito a tiempo, que cien a destiempo.
Es mejor hablar claro desde el principio.

No vale vestir a la mano para que otro la baile.
No se recomienda hacer regalos a quien no los va a agradecer.

No hay peor lucha, que la que no se hace.
Con esto se quiere señalar que hay que seguirse esforzando en la vida.

Mal que se hable mal de mí, pero peor aún es que no se hable.
Frase que se usa entre artistas y políticos.

No le buigas, Nacha, porque es peor.
Se recomienda dejar las cosas del tamaño que están.

Con una viuda no me casaré, por cierto, para no poner las manos donde las puso el muerto.
Esta es la frase de un cínico, que ni la muerte respeta.

La alegría es piedra filosofal, que todo lo convierte en oro.
Benjamín Franklin.

Amor y aborrecimiento no quitan conocimiento.
Recomienda fijarse bien antes de amar u odiar a alguien.

El que de ajeno se viste, en la calle lo desvisten.
Se usa para recomendar no hacer alarde de méritos ajenos.

Al hombre bueno, no le puede faltar ventura.
Con demasiado optimismo, asegura que al bueno le va bien, aunque no siempre sea así.

El error tiene la victoria, pero la verdad, tiene la esperanza.
Alfonso Herrera.

Don Vicente miente más que el diente.
Aquí se asegura que también una gente joven puede perder los dientes.

La cana, la engaña; la arruga, saca de dudas y el pelo en la oreja, ni duda deja.
Este refrán sigue los pasos del deterioro que el paso del tiempo nos causa.

La venganza más agradable es la que nos provoca la desgracia de nuestros enemigos.
Este refrán es una verdad a medias.

El que no quiera ver visiones, que no salga de noche.
Recomienda evitar peligros no metiéndose en lo que no te compete.

Si no lo tienes, aguántate, y si lo tienes, disfrútalo.
Este es un buen consejo para toda persona quejumbrosa.

De los parientes y el sol, entre más lejos, mejor.
Dado que está visto que suegra y nuera nunca se podrán llevar.

Cielo empedrado, cielo mojado, dice que pronto llegará la lluvia.
Se usa cuando se ven las nubes aborregadas.

De la moda, hay que tomar, lo que acomoda.
No todas las personas pueden seguir los dictados de la moda, todo depende de su físico.

Las oportunidades, las pintan calvas.
Recomienda que en esta vida se reaccione de inmediato ante lo bueno.

A Mercedes la dejaron hablando sola por decir tonterías.
Dice que nadie le hace caso a quien habla mucho.

Hay que ir a paso lento, pero seguro.
Equivale al refrán italiano: "Chi va piano, va lontano".

No des tu firma, Amador, porque el que es fiador, será el pagador.
Éste es un buen consejo para evitar que se pierda, lo más, por lo menos.

Consejos no pedidos, los dan los entrometidos.
Esta es una afirmación cierta, que no requiere de una explicación.

Hijo, si no quieres buena madre, querrás mala madrastra.
Es una recomendación para que los hijos tengan buena conducta y den buen trato a sus padres.

Donde hay voluntad, no hay fuerza.
Se complementa con el que dice: "Más vale maña, que fuerza."

El que mete mano a la bolsa ajena, se condena.
Funciona bien para evitar que los niños tomen lo ajeno.

Con amor y aguardiente, nada se siente.
Se trata de un consejo falso, puesto que el amor puede ser grande y el aguardiente en exceso, es fatal.

Con el tiempo y un ganchito, hasta los de arriba bajan.
Se recomienda paciencia para todos los actos de nuestra vida.

No me saques sin razón, ni me envaines sin honor.
Esta es la leyenda, en la cacha de un cuchillo, que aconseja a su dueño mejor evadir los pleitos.

El que tiene tienda, que la atienda, o si no que la venda.
Este consejo es muy bueno para no dejar los negocios en manos ajenas.

El favor recibido debe ser correspondido.
Esta enseñanza sirve para que nos vaya bien en la vida.

Piensa mal, y acertarás.
Aunque no siempre resulta verdadero, en ocasiones, funciona.

En líos de vecindad, el trabajo no es entrar, sino encontrar la salida.
El vecindario nos involucra en sus problemas, aun en contra de nuestra voluntad.

De regreso al pesebre, hasta los burros relinchan.
Quiere decir que el regreso a casa es lo mejor del paseo.

Vale más que ahí la dejemos.
Es lo mismo que el refrán que dice: "Más vale un mal arreglo, que un buen pleito".

Ayúdate Eufrosina, que la lotería de los pobres es el trabajo.
Se le pide a una persona que aligere su trabajo, porque no hay de otra en esta vida.

A Onésimo lo tienen como San Miguel al Diablo, con un pie en el pescuezo.
Así se dice cuando traen a alguien por la calle de la amargura.

Por enamorado, a Casiano, lo mandaron a freír chongos.
Se dice que la novia lo dejó plantado.

Mira Tomasa, no seas tan presumida, te sientes la trompa de la máquina.
Se usa para detener las presunciones de las jóvenes pagadas de sí mismas.

RECOMENDACIONES

El pan ajeno, hace al hijo bueno.
Recomienda, como parte de la educación, dejar que el hijo salga de la casa.

Hoy, paso, mañana, será otro día.
Esta frase recomienda no lamentar el pasado.

Más vale una mujer mal casada, que bien quedada.
Esta es una opinión antigua, que no es del todo cierta.

Es mejor desvestir borrachos, que vestir santos.
Opinión pasada de moda.

Más vale malo por conocido, que bueno por conocer.
Tampoco esta opinión es del todo acertada.

Ay, Chucha, no te ahogues en un vaso de agua.
Recomienda dar a los problemas su justa medida.

No hay mal que dure cien años, ni enfermo que los aguante.
Con esto se pide paciencia a quien está metido en algún problema.

La ropa sucia, se lava en casa.
Esto no siempre es verdadero, dado que lady Dei lavó su ropa sucia en el mundo.

Ni tanto que queme al santo, ni tanto que no lo alumbre.
Aquí se recomienda tener prudencia en todos los momentos de la vida.

Mario, no te vayas a quedar como el perro de las dos tortas, sin una, y sin otra.
Esto se complementa con la expresión que dice: "El que mucho abarca, poco aprieta".

Más vale pájaro en mano, que ciento volando.
Recomienda ser práctico y no fantasear.

Petrita es como santo Tomás, quiere ver, para creer.
Esto sería verdadero sin tomar en cuenta los artículos de fe.

A don Clemente le leyeron la cartilla.
Dice que le señalaron sus obligaciones.

Don Procopio, se queja, aunque tiene dinero, donde lloran, ahí está el muerto.
Casi siempre se quejan los que tienen algo que perder.

Se me hizo la espera tan larga, como la esperanza del pobre.
Se supone que el pobre vive de esperanzas.

Mire, comadrita, con dinero, no se olvidan los encargos.
Se recomienda no aceptar encargos sin su respectivo costo.

Ay, Isidoro, tardaste tanto, que me tenías con el Jesús en la boca.
Siempre que estamos con algún pendiente, recurrimos al Señor.

Comezón, sanazón, o pudrición.
Se dice que cuando algo causa escozor, es señal de que puede sanar o acabarse de descomponer.

Jacinto, no pidan explicación, al buen entendedor, pocas palabras.
Se usa para acabar con las disculpas con que se defiende el culpable.

Fulgencia, me tuviste en el panteón del olvido.
Es una amistosa reclamación cuando alguien no se ha dejado ver.

Ciriaco, huyes de la mortaja, y te abrazas al difunto.
Esta frase se usa cuando alguien cae por su propio peso.

Adela, más te vale llegar a tiempo, que ser invitada.
Dice que es mejor hacerse presente, que esperar a que lo llamen.

Marieta, no me creas, lo que te digo, no es artículo de fe.
Aquí se refiere a los dictados de la Iglesia Católica.

Librada, no tiene miedo, solamente es precavida.
Se trata de disculpar a la interfecta aduciendo prudencia.

Hoy no se fía, mañana, sí.
Frase que defiende a los comerciantes, de solicitudes de préstamo.

Ay, Agapito, no tienes la paciencia de Dios, mejor modera tu conducta.
Ésta es una buena recomendación para quien no cuida de sí mismo.

No me defiendas compadre, mejor cállate la boca.
Hay ocasiones en que la defensa es contraproducente.

Ay, don Tobías, no se apure pa' que dure, y de viejo se madure.
Aquí se recomienda evitar la preocupación.

Calma, calma, Benigna, no comas ansias.
Señala que la ansiedad no es recomendable.

Tranquila, Inocencia, acuérdate que mientras más te agaches, más la cola se te ve.
Esto se aplica a las personas barberas y serviles.

Mira, Eufrosina, no eches en saco roto el consejo que te doy.
Se aplica para reforzar nuestra opinión.

Si al poquer quieres ganar, no te canses de pasar.
Sentencia que se usa en el juego de cartas.

Primero muerto, que desairador.
Se dice de una persona que desperdicia oportunidades.

Cada uno de nosotros somos arquitecto de nuestro propio destino.
Se complementa con el que dice: "La corona que te pongas, será la que te labres".

Obras son amores y no buenas razones.
Esta opinión se respalda con la que dice: "Que no hay que fiarse de promesas, sino de realidades".

No le prestes dinero a Chucho, porque ojos que te vieron ir, nunca te verán volver.
Recomienda no prestar dinero a los insolventes.

Los hijos y los maridos, por sus hechos son queridos.
Efectivamente, debemos fijarnos en los hechos, antes que en las promesas.

Háblame claro, Rubén, que a mí me gusta llamar al pan, pan y al vino, vino.
Pocas cosas hay tan agradables como la claridad en las opiniones.

Salte de casa de Julia, parece que ahí, te cortaron el ombligo.
Alude a la ancestral creencia de que donde queda el ombligo del bebé se radica el adulto.

Para qué tanto brinco, Quirino, si el suelo está muy parejo.
Estamos pidiendo claridad en las peticiones.

No es justo, señor don Justo, que por unos paguen todos.
Efectivamente, si hubiera justicia, no pagaríamos todos, el saqueo del país.

Por presumido, Vicente, se quedó con un palmo de narices.
Quiere decir que si se exageran las cualidades, se puede uno quedar sin nada.

No te preocupes, Gabriel es serio, pero no come gente.
Se aplica cuando una persona es de gesto adusto.

Chema es tardoncito, pero buena paga.
Esto es una recomendación para el indicado que siempre paga sus deudas.

Los rencores, ni restañan heridas, ni quitan el mal.
Siempre el rencor daña más al que lo siente, que al que lo provoca.

No te preocupes por ser gente humilde, Victorino, que la primera aristocracia es la inteligencia.
El hombre vale más por lo que sabe, que por lo que tiene.

Mira, Francisca, teme al hombre que no te vea a los ojos.
Se dice que el que elude la mirada, es una mala persona.

Andando yo caliente, qué importa que se ría la gente.
Recomienda no vivir pendiente de opiniones ajenas.

El que quiera azul celeste, que le cueste.
Siempre hay que luchar por lo que uno desea.

A doña Mercé le llenaron el buche de piedritas.
Asegura que la molestaron tanto, que provocaron su enojo.

No te preocupes Conrado, que al otro hachazo, cae el palo.
Este es un dicho de leñadores, que recomienda perseverancia.

Para que sepas cuál es la calidad de la melcocha, habla tú con Ernestina.
Se supone que la nombrada, debe ser difícil de tratar.

Es tan buena persona, María, que por eso le tomaron la medida.
Aquí se dice que ya saben por dónde le pueden llegar, y lo que pueden sacar.

El que da y quita, con el diablo se desquita.
Aquí se recomienda olvidar las dádivas que se hacen.

Patricio, lo cortés no quita lo valiente.
Recomienda tener educación hasta en las discusiones.

Es tan rijoso Anselmo, que sólo por dirigirle la palabra, desenvaina la espada.
Aquí se habla de la agresividad de las personas.

Ruperta cortó a su novio por elemento indeseable.
Afirma que se deja de tratar a quien no merece nuestra amistad.

No siempre el primer novio representa el primer amor.
Aquí se reconoce que el amor no tiene horario, ni fecha en el calendario.

Mario le puso los puntos sobre las íes a Inés.
Asegura que se aclaró una situación confusa.

Con tarugos, ni a bañarse, porque hasta el jabón se pierde.
Aconseja que con los tontos, ni a misa, porque nos quitan la devoción.

Quien hace lo que puede, hace más de lo que debe.
Quiere decir que lo importante es hacer el esfuerzo sin pensar en los resultados.

El ignorante y necio, causa fastidio y desprecio.
Es una gran verdad, por lo que recomienda no exagerar nuestros defectos.

CONSUELO

Después de la tempestad, viene la calma.
Este refrán se reafirma, con el que dice: "No hay mal que dure cien años..."

A mí me ha tocado que los santos sean cuerones, por más que los he jalado de la capa y los calzones.
Esto es un lamento de quien no tiene buena suerte.

A toda capillita, se le llega su fiestecita.
Dice que a todos nos tocará un momento de buena suerte.

Cuando estoy sola, qué triste es, la tristeza de la tarde.
Se reafirma con el que dice: "Las cosas son del color del cristal con que se miran".

Ay, Teresa, no te apures, que el sol sale para todos.
Frase con la que se intenta consolar a quien tiene una mala racha.

La suerte de la fea, la bonita la desea.
Esto nos sirve para consolar a quien no fue dotada de belleza.

Plantaron en la esquina a Eleuterio.
Se usa cuando dejan esperando a alguien.

Mira Bartola, la vida comienza mañana, o a los cuarenta.
Esto nos sirve para consolar a la del cumpleaños.

Ahora sí, Juana, siente lo que he sentido, y paga lo que me has hecho.
Queja de un enamorado resentido.

Hay pícaros con fortuna y hombres de bien con desgracia.
Esto bien puede servir para consolar a quien no ha podido triunfar.

El muerto al hoyo, y el vivo al bollo.
Sirve para consolar a una viuda joven.

Si tu mal tiene remedio, para qué te apuras, y si no lo tiene, para qué te apuras.
Aquí se recomienda que es mejor la ocupación, que la preocupación.

Rosaura, recuerda con nostalgia el pasado.
Sin embargo, según se afirma, cada época de la vida tiene su propio encanto.

Caritina, habla de ilusiones perdidas, y penas redimidas.
Aquí se alude a que si la persona hace recuerdos del pasado, se conforma con su suerte.

ADVERTENCIAS

El hábito no hace al monje, pero mucho le ayuda.
Este refrán se contradice con el que sostiene que: "Aunque la mona se vista de seda, mona se queda".

Yo sé lo mucho que valgo, por lo mucho que desprecio.
Frase para consolarse por no haber alcanzado algún propósito.

Hay una madre para cien hijos, y no hay cien hijos para una madre.
Ésta es una verdad certera.

La mujer que se casa le va mal o le va peor.
Con esta frase se consuelan las que se quedaron solteras.

No te quejes tanto, Chava, aquí nos tocó vivir.
Por mucho que nos quejemos, no cambian las condiciones de vida.

Ni contigo ni sin ti tienen mis penas remedio; contigo porque me matas, y sin ti porque me muero.
Con esta frase se consuela, un despechado.

Loca la madre, loca la hija y loca la sábana que las cobija.
Se dice que los pecados de los padres los heredan los hijos.

Dios te haga un santo Pafnulcio y te quite lo majadero.
Se usa para remitir a un irredento al perdón de Dios.

Ahora sí, Lorenzo, te encontraste con la horma de tu zapato.
Significa que se encontró a alguien más valiente que él.

El que nació en petate siempre eructa a tule.
Aquí se asegura que el nacimiento marca a las personas.

No te empeñes tanto, que de todos modos Juan te llamas.
Dice que no vale mejorar la apariencia si queda la personalidad.

Teodiacia, llegaste a la fiesta después del atole.
Aquí se trata de señalar a una persona que llega muy tarde.

No te enojes, Zenaida, la verdad no peca pero incomoda.
Con esto se trata de recomendar que se acepte la verdad.

Hablando del rey de Roma, y él que la nariz asoma.
Esta frase se usa cuando alguien llega en el momento que se está hablando de él.

Eran tiempos de bonanza cuando se amarraba a los perros con longaniza.
Expresión eufemística para hablar de tiempos pasados que fueron mejores.

Mira, Pancha, no te divorcies, porque saldrás de Guatemala para entrar a guatepeor.
Aquí se señala, que es triste estar sola.

Llórate pobre Elena, pero no sola.
Frase que recomienda no romper relaciones con amistades.

Más vale estar solo, que mal acompañado.
Es una verdad que sirve para alejar las malas compañías.

La mujer de Benjamín parecía mansita, pero pronto sacó las uñas.
Generalmente, las mujeres fingen buen carácter antes de pescar marido.

Mire, comadre, mi hija es tan lista que le está pisando los talones al maestro.
Frase de una madre que se mira en su hija.

Cuando Toña metió el chisme, se le volteó el chirrión por el palito.
Es cierto que generalmente el chisme se revierte.

El chisme agrada y el chismoso enfada.
Verdad que no tiene vuelta de hoja.

Ya te enredaste mucho Zacarías, mejor háblame en cristiano.
Se usa para meter al orden al que se justifica demasiado.

En el póquer de ayer, el juego se hizo tablas.
Aquí se reconoce que ni ganaron ni perdieron.

Ten cuidado con Modesta, porque la mala amiga entra por enaguas y sale con pantalones.
Con este refrán se demuestra desconfianza con las amigas asiduas.

No cambies fecha Zoraila, que un matrimonio retrasado queda mal hecho o es desbaratado.
Esta es una superstición que se usó antes sobre las fechas de boda.

No te aflijas, Máximo, lo que no deja, es mejor dejarlo.
Aquí se asegura que todo nos debe servir.

Juan es tan listo, que se llevó de corbata a su mejor amigo.
Recomienda desconfianza de los que se fingen amigos.

Refrénate, Casimira, que el egoísmo te aísla de tus hermanos y de Dios.
Aquí se asegura que el egoísta siempre se queda solo.

No te violentes, Felipe, la violencia pierde siempre, aunque se gane la primera batalla.
En efecto, el que se precipita en un pleito termina perdiendo.

Esa mujer que anda con mi compadre es sólo un parche mal pegado.
Aquí se critica que el susodicho, no ande con su esposa.

Si no compra, no mallugue.
Frase que usan en el mercado y se respalda con el refrán que dice: "La fruta bien vendida, o podrida en el huacal".

Ni era tanto lo del ojo, nomás lo traía en la mano.
Con esta frase se hace mofa de alguien que exagera su queja.

El que fía se fue a tomar una cerveza.
Frase de comerciante que niega crédito a los parroquianos.

No hay puerta mejor cuidada, que la que se queda abierta.
Con esto se recomienda tener confianza en los demás.

Chocó con roca compañero, no tengo dinero.
Esto se usa a manera de disculpa cuando no se puede cubrir una deuda.

No pienses que la luna es queso, nomás porque está redonda.
Aquí se recomienda no fiarse de las apariencias.

Cómo tendrá la conciencia Pascuala, que cuando le reclamé, no dijo ni pío.
Aquí se dice que la susodicha reconoció su culpa.

Si se muere don Macario, ni falta hace.
No se le da ninguna importancia a quien se le dice esta frase.

Sólo los guajolotes mueren la víspera.
Se hace alusión a que estos pobres animalitos son sacrificados en día anterior a la fiesta.

No me presto ni me doy, sólo de mí, dueño soy.
Frase que alardea de mucha confianza en uno mismo.

Te mordiste la lengua al criticarme, Prudencio, hasta acá cayó el pedazo.
Generalmente, se critican los defectos que uno tiene.

Ahora me cumples, Ponciano, o me dejas como estaba.
En general se usa para exigir el cumplimiento de una promesa.

De tonto Antonio no tiene un pelo, porque es calvo.
Frase que señala con exageración la inteligencia de alguien.

Los médicos y los gatos se parecen, porque tapan sus errores con tierra.
Aquí se alude a que el error de un médico, lo paga el paciente con la vida.

Palo con Juan, y Juan Pegado.
Aquí se usa para decir que dos personas, aunque se odien, siempre andan juntas.

Por qué se mete Cirilo en ese lío, si no tiene vela en el entierro.
Esto se complementa con el que dice: "El que se mete a redentor, resulta crucificado".

Ojos que no ven, corazón que no siente.
Efectivamente, las penas son menos si no estamos cerca de ellas.

Peléense los compadres y sáquense las verdades.
En efecto mientras más cerca es la relación más cosas saben uno del otro.

Las habladas de Camila no las creas, son puras papas.
Aquí se critica al que amenaza sin cumplir.

Qué esperanza te puede cobijar, Panchita, con un imberbe.
Se hace una llamada de atención a la mujer que anda con menores de edad.

Me gasté todo, me quedé en la quinta chilla.
Antiguo refrán que indica una pobreza extrema.

¡Con esos ronquidos, quién duerme!
Así se simboliza que en tiempos de crisis no hay tranquilidad.

Quien mal anda, mal acaba.
Se aconseja llevar una vida recta para no tener problemas.

No me fastidies, Petrona, que no está el horno para bollos.
Ésta es una advertencia para señalar el mal humor de quien habla.

Mira, Chencha, yo estoy tan quemada que hasta al jocoque le soplo.
Frase que confiesa la gran desconfianza que se tiene sobre el género humano.

El pobre de Cosme, tras de cornado, apaleado.
Indica que al interfecto de todos modos le va muy mal.

Fíjate bien, Jovita, porque ese novio te va a quitar hasta el modo de andar.
Recomendación para una muchacha veleidosa.

Como me lo dijeron te lo cuento, te lo paso al costo.
Sirve para contar chismes sin responsabilizarse.

Es tan veleta Narciso, que su amor dura, lo que dura una flor.
Aquí se hace alusión a lo perecedero de las flores.

A mí no me mientas, Eustolia, te conozco hasta en mole.
Aquí se hace alarde de ser buen conocedor de las personas.

No invitemos a Juan, porque siempre se despacha con la cuchara grande.
Se señala al interfecto como abusivo.

José, solito se echó la soga al cuello.
Se dice cuando alguien cae en su propia trampa.

No te preocupes por Nacho, está vivito y coleando.
Así se da razón de alguna persona.

El hombre sabio aprende hasta de su enemigo y del ignorante.
Efectivamente todos los días se aprende algo.

Una hora de dolor es más grande que una semana de placer.
Cierto es que se guarda más recuerdo de los malos tiempos que de los buenos.

Cuando el dolor es grande nos destruye.
Aquí se afirma que una pena honda puede acabar a una persona.

El cobarde sólo amenaza cuando va acompañado.
Es cierto y natural, pues el cobarde se siente respaldado.

Al nopal lo van a ver sólo cuando tiene tunas.
Afirma que sólo se busca a alguien cuando se le necesita.

Arrieros somos y en el camino andamos.
Es cierto que a todos se nos puede ofrecer algo en esta vida tan difícil.

Cada cabeza es un mundo.
Así es, cada uno de nosotros puede pensar como quiera.

El muerto al hoyo, y el vivo al bollo.
Señala que aunque nos duela la muerte de un ser querido, hay que seguir viviendo.

No siento que se enferme mi hijo, sino las mañas que le quedan.
Durante una enfermedad se consiente a los niños y quedan mal enseñados.

En el amor y en la guerra todo está permitido.
Aunque esta frase no sea verdad, suena bien.

Una es la verdad pa' dentro, y otra la verdad pa' fuera.
Esta es una frase que indica que se vive de las apariencias.

Pancho es valiente con las mujeres y cobarde con los hombres.
Definición exacta de gente poco recomendable.

Ya apareció el peine que andaba reborujado.
Indica que se encontró al autor de los chismes.

En la fiesta de ayer todo terminó en disgusto verbal, la sangre no llegó al río.
Como aquí se indica, el problema no pasó de palabras.

El que la debe la teme.
Indica que el que mal actúa, anda temeroso.

Sin deberla ni temerla Angustias pagó muy caro.
Se refiere a que no tuvo parte en algún daño y pagó por él.

El que está en las duras, está en las maduras.
Recomienda estar en los buenos y en los malos tiempos.

¡Qué pasó, Luchita, somos o no somos!
Esta expresión se usa para puntualizar en alguna relación.

Tanto pendiente en la tardanza, propicia el peligro.
Se recomienda no preocuparse demasiado, pues quizá se pudiera atraer alguna desgracia.

El que por su gusto muere, ni que lo entierren merece.
Afirma que el que busca un mal por voluntad propia, no se debe lamentar.

A Cruz se le pusieron las cosas color de hormiga.
Indica, que alguien está en una situación muy difícil.

No te apures, Chencha, maldición de perro flaco, no llega.
Recomienda no tener miedo de maldiciones de personas nefastas.

No te avoraces, Titina, de pan bendito, poquito.
Indica que de lo bueno se debe tomar poco.

Cada vez que habla Cuca me cae en pandorga.
Indica que alguien nos causa disgusto.

Siempre soy yo quien tiene que pagar los platos rotos.
Esto se usa cuando se tiene que pagar culpas ajenas.

Cada quien se tapa hasta donde le alcance la sábana.
Indica que se deben hacer las cosas en proporción a sus posibilidades.

Será el sereno, Concha, pero a mí no me convences.
Se trata de calmar a quien intenta explicar sin razones suficientes.

Blas trabajaba muy feliz hasta que le movieron el tapete.
Se dice esto cuando alguien le hace intrigas en su contra.

Lo trataron de asustar con el petate del muerto.
Que no valen las amenazas sin fundamentos.

A Pafnuncio lo traen por la calle de la amargura.
Esto quiere decir que lo hacen sufrir mucho para alcanzar lo que busca.

Con lo que le dijeron a Jacobo, le dieron muerte civil.
Se usa cuando a una gente pública se le demuestra que procedió con mentiras.

Sabiendo que iba a perder, Joel se puso con Sansón a las patadas.
Indica que llevó a cabo un pleito inútil.

La felicidad no radica en la grandeza, sino en las pequeñas cosas.
Quizá por eso la búsqueda de la felicidad es tan difícil.

Con la crisis, para el pueblo, la cosa está al rojo vivo.
Habla de que vivimos una situación crítica.

La mujer no perdona a quien la ignora, y no vuelve.
La indiferencia siempre es imperdonable para una mujer.

Hay quien cree que ha madrugado y sale al oscurecer.
Se usa para criticar la pereza de algunas personas.

A Tomás lo pararon en seco por hablador.
Úsase como ejemplo para evitar comentarios de mala fe.

Le dieron toloache, a Tobías, y por poco se muere, pero no se enamoró.
Existe la creencia de que con toloache la gente se enamora.

Hortensia, luchó contra viento y marea para conseguir trabajo.
Indica que buscó colocación por todos lados, y tocó todas las puertas.

A la familia González le soplaron buenos vientos.
Quiere decir que hubo un cambio de fortuna.

Las cosas cambiaron para María de la noche a la mañana.
Se dice cuando de un día para otro cambia la suerte.

Pobrecito de don Enrique, lo borraron del mapa.
Se refiere a que le dieron muerte civil.

Mira, Fulgencia, anda vete y que te parta un rayo.
Es una manera de decir no molestes.

Con la regañada que le dieron a Rosa, la hicieron entrar al aro.
Quiere decir que la metieron en cintura.

A Julia le dieron una bofetada con guante blanco.
Significa que le pagan un mal, con un bien.

Aquellos que dicen mentiras deben tener muy buena memoria.
Éste es un consejo para recordar las mentiras que se inventan.

A Ciriaca le salieron las cosas a pedir de boca.
Indica que todo le salió tal como lo planeó.

La mal educada de Chole me brincó a las barbas.
Dícese cuando alguien abusa de una persona mayor.

Por llegar retrasado, a Pipo lo pusieron del asco.
Se dice cuando alguien recibió una buena regañada.

No des lata, chamaco, que no está el horno para bollos.
Se acostumbra decir esto cuando se tiene mal humor.

No creo que Memo haga huesos viejos en ese trabajo.
Se dice de una persona que no está calificada para dicho empleo.

Cuando me hablan de Rubén, no lloro, nomás me acuerdo.
Ésta es una forma de negar un sentimiento.

En esta vida todas las cosas tienen su pro y su contra.
Indica que todo acontecimiento puede ser para bien, o para mal.

Primero mis dientes y que se mueran mis parientes.
Se dice que uno come solo, aunque los demás lo vean.

Ni rosa sin espinas, ni amor sin celos.
Proverbio turco.

Ya has dicho mucho, Santiago, acuérdate que una gota derrama el vaso.
Se dice para detener a quien está abusando de nuestra paciencia.

Mira, Zeferino, recuerda que el que ríe al último, ríe mejor.
Esto se usa en varias circunstancias para señalar que todo puede cambiar en un momento dado.

Mejor no te presto mi vestido, Chila, porque en lo ajeno cae la desgracia.
Ciertamente, aunque parece mentira, en lo que nos prestan corremos el riesgo de que se dañe o se pierda.

Salida de yegua fina y llegada de burro flaco.
Esto parece inspirado en la participación de los atletas mexicanos en las Olimpiadas de 1996.

Hay veces que un ocotito provoca una quemazón.
Esto funciona para reconocer que todos tenemos alguna importancia.

No me preguntes a dónde voy, sino de dónde vengo.
Esta interrogación se la hace un matrimonio mal avenido en busca de una discusión.

El amor, el dinero y el cuidado, no pueden ser disimulados.
Aquí se representan tres momentos de gran importancia en la vida de cada quien.

Cría vientos y cosecharás tempestades.
Con este refrán se advierte a un picapleitos para que no continúe con sus intrigas.

El que ama el peligro, en él perece.
Efectivamente, quien busca situaciones difíciles casi siempre le va mal.

Cuida tu lengua, Bartola, porque la verdad no peca, pero sí incomoda.
Advertencia, para quien habla de más.

No hay atajo, sin trabajo.
Esta exclamación se usa al término de una tarea.

La vitamina P es la mejor para cualquier mal.
Se refiere a que la vitamina del poder, da vigor, energía, fortuna y desvergüenza.

El que por su gusto es buey hasta la coyunda lame.
Así se dice de quien es manso hasta la ignominia.

PICARESCAS

Más pronto cae un hablador que un cojo.
Recomienda discreción, pues el mucho hablar hace caer en errores.

No te preocupes por tu estatura, que los chaparros sirven para mandar a los altos.
Recomienda resignación a quien no ha crecido mucho.

Como no me he casado, seguro que con mi media naranja hicieron jugo.
Frase de consuelo para quien se está quedando solterón.

Al que Dios no le da hijos, el diablo le da cosigos.
Esto es para conformar a quien tiene hijastros.

Como estará el infierno, que hasta los diablos se salen.
Esta es una frase muy usual en tiempo de crisis.

Yo te conocí verde cerezo, así te conocí, y no te rezo.
Esta frase es de un ranchero que ve la escultura de Cristo hecha con un árbol de cerezo.

Tratándose de mujeres la primera es escoba, y la segunda, la señora.
Así se dice de la primera y segunda esposa.

Político con puro, ladrón seguro.
Generalmente cuando un político se quiere significar usa un puro para sentirse señor.

Hermógenes siempre se divierte como enano.
Se ignora por qué suponemos que los enanitos se ríen de su estatura.

Nomás de ver, Celsa, hice tal coraje, que traigo las tripas hechas nudo.
Existe la creencia de que con la rabia se paraliza el estómago.

El soltero vive como príncipe y muere como perro; el casado vive como perro y muere como príncipe.
El soltero goza de libertad toda su vida; el casado está oprimido y vigilado toda la vida, y muere rodeado de su mujer y sus hijos.

En la tierra de los ciegos el tuerto es rey.
Indica que entre ignorantes el que sabe leer es líder.

De los parientes y el sol, entre más lejos, mejor.
Aquí se recomienda no asolearse en exceso y no tener muy cerca a la familia.

La ropa limpia, no necesita jabón.
Esto es un exceso que alardea de no tener ninguna falta.

Cada viejito alaba su bordoncito.
Indica que todos podemos presumir de lo que se tenga, aunque sea poco.

Cada persona tiene su estilo de matar pulgas.
Acepta que cada quien haga las cosas a su manera.

A Ciro le gusta velar muertos con cabeza de cerillos.
Se refiere a una persona presumida.

Cuando Evaristo murió, se llevó la llave de la despensa.
Así se dice cuando la persona fallecida es la única entrada económica.

Cuando Pancho se dio cuenta de lo que debía, mejor se hizo de la vista gorda.
Cuando la deuda es enorme, el deudor se hace desconocido.

Nicandro tiene la música por dentro.
Así se dice cuando alguien que parece muy serio es un vacilador.

Mira, Cuataneta, yo de eso pido mi limosna.
Se usa cuando alguien nos refiere alguna necesidad.

Cansaron tanto a Eulogio, que brincó las trancas.
Señala que cuando se fastidia mucho a una persona es mejor que se vaya.

Le fue tan mal a Fidel, que parece que le tocó bailar con la más fea.
Crítica para quien no sabe responder a las actividades que le tocó desempeñar.

Aunque somos del mismo barro, no es lo mismo, bacín que jarro.
Úsase para definir las distintas categorías sociales.

Que se haga la voluntad de Dios en las milpas de mi compadre.
Se pretende que las malas situaciones recaigan sólo al de enfrente.

Ay, qué suerte tan chaparra, que ni reintegro me saco.
Éste es un lamento de quien se cree perseguido por la mala suerte.

La mujer y la escopeta, cargadas y detrás de la puerta y con la pata quebrada.
Éste es un refrán machista que quería nulificar a las mujeres.

A Rómulo parece que le untaron manteca en los bigotes en casa de Gloria.
Con esta frase se comenta que el interfecto es asiduo visitante de una casa.

El que manda, manda, y si se equivoca, vuelve a mandar.
Así dicen los que tienen alta jerarquía.

La reprimenda que le di a Chayo, le hizo lo que el aire a Juárez.
Se usa cuando no nos prestaron ninguna atención.

A Macaria la llaman la motivosa por sus dulces meneos.
Así se dice de una persona que se mueve mucho al caminar.

Si don Chon sigue tomando se va a ir de un jalón hasta el panteón.
Ya tenemos entendido que hay vicios que sólo la muerte puede erradicar.

Yo soy como Juan Orozco, cuando como, no conozco.
Esta es la frase de un egoísta que no acostumbra convidar.

Acuérdate, Ignacio, que la codicia rompe el saco.
Aunque es bueno desear con fuerza algún propósito, no se recomienda desear varias cosas al mismo tiempo.

A Osvaldo le dieron en la mera torre, y ni las manos metió.
Ésta es una crítica para el que presume de valiente, sin serlo.

Ladrón que roba a ladrón, tiene cien años de perdón.
Esto es mentira, pero de alguna forma justifica a uno de los dos ladrones.

En la casa de los pobres, de rincón a rincón, todo es colchón.
Esto indica que los pobres siempre son hospitalarios.

El borracho de Nabor, dice: Hasta no verte Jesús mío, y se empina la copa.
Ésta es una costumbre de todos los alcohólicos.

Para que no siga viniendo a mi casa, Rita, ya le eché una hablada, a ver si es chicle y pega.
Demuestra que no se atreven a despachar directamente a la indicada.

A Eufemia la agarraron con los dedos detrás de la puerta.
Indica que la sorprendieron in fraganti.

Agarraron al ladrón con las manos en la masa.
Indica lo mismo que el anterior.

Después de que me robaron, me quedé con una mano atrás y otra adelante.
Lamentación ante la pérdida de lo que se poseía.

Está bien que le debía a Candelaria, pero ella se cobró a lo chino.
Indica que no esperó el pago de la deuda, sino que dispuso de lo propio.

Lo agarraron como al Tigre de Santa Julia, con el cinturón al cuello.
Se dice que a este famoso delincuente lo aprehendieron desahogando una necesidad.

Con el doctor Martínez siempre es más caro el remedio que la enfermedad.
En ocasiones es más problemática la solución de algún conflicto, que el conflicto, mismo.

Se quieren tanto, que comen en el mismo plato.
Esto se puede contradecir con el refrán que dice: "De dos que se quieren bien, con uno que coma basta."

A Juana siempre la acompañaba su amiga, con el novio, hasta que le comió el mandado.
Sucede con frecuencia que la chaperona se queda con el interfecto.

No te regreso tu préstamo, acuérdate que lo caido, caido.
Cuando no hay forma de cobrar una deuda se la cobran a lo chino.

Silvestre fue por lana y salió trasquilado.
Indica que no siempre se alcanza el propósito inicial y sí, con frecuencia, lo contrario.

A Rómulo, por andar con políticos, lo dejan colgado de la brocha.
Indica que no le dieron ningún respaldo.

Oye, Dorotea, tú siempre dejas a tus novios con un palmo de narices.
Es lo mismo que si se dijera: "Se quedó chato."

Lupita ya está en capilla, porque mañana se casa.
Esto lo dicen los enemigos del matrimonio.

Esta vida es un camote, y el que lo come, se ahoga.
Ésta es una queja por los problemas que la vida tiene.

A Chona se le subió el vestido y le vi hasta la pared de enfrente.
Esto es un piropo de dudoso gusto y falto de respeto.

Nada más vio a don Celso, y lo puso como lazo de cochino.
Es un comentario para hablar de lo fuerte que se llamó la atención a alguien.

Es bien sabido que las gallinas de arriba ensucian a las de abajo.
Se habla de los influyentes que siempre molestan a los desamparados.

Si quieres ser feliz corta cualquier asomo de envidia desde la mera raíz.
Sabio consejo para no envidiar a nadie.

No confundas la gimnasia con la magnesia, Chencha.
Trata de sacar a alguien de un error manifiesto.

Nicolasa ha de tener novio, porque trae un chincual, que no veas.
El chincual, que debe venir del náhuatl, habla de una alegría incontenible.

No le aunque que nazcan ciegos, después pedirán limosna.
Habla con exageración de la posibilidad de que en esta vida todo sirve para algo.

Mi último pretendiente me dejó como al chinito "nomás milando."
Se usa cuando alguien se va en graciosa huida.

No le tengas miedo al chile, aunque lo veas colorado.
Esto sirve para estimular a algún indeciso.

"Muchacha bonita, yo caso contigo, yo tengo linelo, yo soy lavandelo."
Este refrán indica que no se deben tener prejuicios raciales.

Convéncete, Odilón, para comer y rascar, el trabajo es empezar.
Esto significa que en ambos casos se empieza en cualquier momento.

No me pagues con una traición, Crecencia, mira que soy cardíaco.
Con esto se reclama buena conducta a alguna pretensa.

No tengo padre, ni madre, ni perrito que me ladre.
Esto es la honda queja de quien está solo en la vida.

El hijo de mi hija, mi nieto será, el hijo de mi hijo, en duda estará.
Éste es un dicho antiguo con el que alguna suegra quiso molestar a su nuera.

No te hagas el presumido, Severiano, que al fin, ni quien te eche un lazo.
Esto es para bajar los humos a quien se cree demasiado.

No te lo creo, Nicolás, aunque vayas a bailar a Chalma.
Aquí está exagerando el concepto en que se tiene a un mentiroso.

En la boca del mentiroso, lo cierto se hace dudoso.
Éste es un refrán muy verdadero que habla de la triste fama de un chapucero.

Déjate de payasadas, Ramón, no a todos les queda el puro, nomás a los hocicones.
Con esto se cortarán las alas de algún presumido.

Mi compadre Zenón no da brinco sin huarache.
Habla de alguna persona interesada que todo lo hace para sacar tajada.

La directora regañó parejo, no dejó títere con cabeza.
La intención de esta frase, es clarísima.

Fue tan corto el paseo, que no me supo ni a pepita de melón.
Aquí se reconoce el insípido sabor de esa semilla.

Hay muertos que no hacen ruido, y son mayores sus penas.
Esta frase se puede adjudicar a algún quejumbroso de oficio.

No tiembles tierra, que no te hago nada.
Esta es la queja de un valiente, o de un ignorante, cuando hay algún temblor.

Ustedes, muchachos, me tienen en lo que pisan, nunca me hacen caso.
Ésta es la queja de una madre cuando no puede controlar a sus retoños.

En cuanto comenzó a hablar Feliciana, enseñó el plúmeo.
Se usa para indicar que, por el modo de hablar, se puede conocer la educación de una persona.

Otra vez la misma danza, Teodosia, y yo que no sé bailar.
Esta frase se usa para parar en seco a algún quejumbroso.

Clodomiro puso a su hijo como Dios puso al perico.
Quiere decir que lo regañó fuertemente.

Para que la cuña apriete ha de ser del mismo palo.
Esta frase se usa cuando los problemas los provoca algún pariente.

Pa' qué te escribo, si no sabes leer, Celestino.
Esta frase indica desprecio para el que no quiere entender.

¿Entonces? pa' qué peleamos, si seguimos en lo mismo.
Ésta es la queja de un cónyuge que está harto de discutir.

Si el agua destruye los caminos, ¡qué no hará con los intestinos!
Esta frase la usan los borrachos para incitar a los abstemios.

Pretextos quiere la muerte para llevarse al enfermo.
Se usa para reprender a quien se disculpa constantemente.

No te creo nada, Eufemia, lo que me dices son puras puntadas de sastre.
Parece ser que el sastre cose con grandes puntadas.

¿Quién dijo miedo, Macario, si yo estoy temblando?
Quiere decir que nadie se haga el valiente en una situación difícil.

Es mejor pedir perdón, que pedir permiso.
Aunque esta frase es cierta, reconozcamos que es bastante cínica.

Don Canuto quiso darle al violín, y le dio al violón.
Se dice cuando alguien se equivocó del todo.

Se casó Prudencia con un viudo y encontró la mesa puesta.
Se supone que la difunta tenía la casa muy completa.

Felicitas se abrió de capa, conmigo, y me contó sus penas.
Indica que la indicada se desahogó y se sinceró con su amiga.

Ahora sí, Calletano, se acabó quien te quería.
Quiere decir que no le va a tolerar ninguna falta más.

Anselma, no te metas en los chismes, porque sólo se oyen los dimes y diretes.
Aquí se aclara que las patrañas van creciendo de boca en boca.

No te preocupes por lo que diga Nicodemus, mejor dile que se vaya y vuelva a la tarde.
Recomienda no hacer caso de habladurías.

El comal le dijo a la olla, qué tiznado estás, hermano.
Esto quiere decir que nadie está limpio de culpa.

Enero y febrero, desviejadero.
Ésta es una antigua creencia de que los ancianos mueren en estos meses.

En esta vida rige la ley de Caifás, al fregado, fregarlo más.
Ésta es una expresión cínica y de cobardes.

Hay tantas opiniones, Nazario, que esto parece sopa de perico.
Indica que nada sale en claro cuando muchos intervienen.

Dijo y desapareció, dejando un fuerte olor a azufre.
Esto se aplica a los políticos que, al ganar una candidatura, desaparecen.

No tiene la culpa el indio, sino el que lo hace compadre.
Aunque es un refrán racista, aconseja que uno mismo escoja a sus amigos.

Después que Anacleto me dejó, me quedé como las cabezas recién espulgadas, adolorida, pero descansada.
Aquí se confiesa que aunque está triste, se siente tranquila.

No te duermas en tus laureles, Porfirio, recuerda que camarón que se duerme, se lo lleva la corriente.
Recomienda estar siempre pendiente de lo que se tiene entre manos.

Las visitas de los nietos, dos alegrías nos dan, una cuando llegan, y otra, cuando se van.
Generalmente, los nietos son inquietos y cuando se van, los abuelos se sientan tranquilos.

A Olegario no le des cuerda, que poco le falta para bailar solito.
Se dice que no hay que animar al que por naturaleza es alegre.

Creció tanto, Martín, que le quedaron los pantalones de brincacharcos.
Aquí se reconoce que los niños crecen sin pedir permiso.

Manolete unificó las opiniones, todos se acordaron de su madre.
Esto se usa cuando en la plaza de toros, el torero queda mal.

Vergüenza no es robar, sino que te encuentren en la maroma.
Éste es un refrán que se ha de aplicar según la moral de cada quien.

Desde que soy Diputado hasta los de huarache me taconean.
Ésta es la frase de un político que ganó su puesto.

Sigue cargando tu cruz, Bartola, que el diablo se lleva al muerto.
Con esta frase, se da ánimo a quien tiene que seguir soportando a un superior fastidioso.

Salí del fuego y caí en las brazas.
Éste se complementa con el que dice: "Salí de Guatemala para entrar a Guatepeor."

Por qué no me saludas, Chuchito, qué acaso dormimos juntos.
Se usa para reclamar a una persona que recién llega y no saluda.

Se metió a brujo, Gumersindo, sin conocer las yerbas.
Así se dice de gente, que se mete en asuntos que desconoce.

Fíjate bien, Eusebio, porque uno es el del gasto, y otro es el del gusto.
Ésta es una crítica para una mujer ligera.

Se le apareció el diablo encuerado, a Daniel, por mentiroso.
Así se dice cuando a alguien se le sorprende en una mentira.

Me voy corriendo, tengo que llegar en un abrir y cerrar de ojos.
Esta es una disculpa que se usa para despedirse sin dar explicaciones.

El lío del ex presidente Salinas y su hermano Raúl, averígüelo Vargas.
Se entiende que está muy complicado.

No te quedes sin comer, Acacia, porque barriga llena, es corazón contento.
Aquí se asegura que después de comer bien, siempre se está alegre.

Aunque aquí todos sean de comunión diaria, yo no encuentro mi bolsa.
Ésta es una opinión muy usada por los desconfiados.

Natalia se viste tan corto, que parece sota de bastos.
Con esta crítica se recomienda prudencia en el vestir.

Ay, qué rechinar de puertas, parece carpintería.
Esta frase se usa cuando ya no se soportan los enredos.

Ay, chaparros como abundan, si parece que los siembran.
Se usa cuando se multiplican los sucesos desagradables.

Desde que Fermín se quedó viudo, anda como perro sin dueño.
Quiere decir que se trata de una persona que no encuentra su lugar.

Fidel se echó al plato a Celso, en tanto que te lo cuento.
Quiere decir que rápidamente acabó con el buscapleitos.

Cuando se cayó Marín, sólo se escuchó cuando azotó la res.
Así se dice cuando alguien se cae y ni se queja.

¿Con qué ojos, divino tuerto, te vas a ir de paseo?
Es una forma familiar de señalar una situación económica.

Se extendió, Cándida, como verdolaga en huerta de indio.
La verdolaga es una planta que no tiene requisitos para crecer.

Esta Jovita es una corre, ve y dile.
Indica que se trata de una persona a quien le gusta traer y llevar chismes.

Mira, Juan, si no te pones buzo, te amuelas.
Este refrán recomienda que siempre se debe estar listo.

Teofilito es un picapleitos, por eso nadie lo quiere.
Este refrán tiene dedicatoria para el que le gusta "amarrar navajas".

Sólo el que se ha muerto sabe de responsos.
Se usa cuando se tiene una pena que sólo uno conoce.

Me extraña, que siendo araña, te caigas de la pared.
Esta frase se usa para criticar a quien parece saberlo todo.

Por muchos hijos que se tengan, no todos son iguales, ni siquiera los dedos de la mano se parecen entre sí.
Ésta es una verdad que reconoce la personalidad de cada quien.

No me des lata, Procopio, que es poco el amor y no hay que desperdiciarlo en celos.
Se usa para enseñar a las personas a conformarse con lo que tienen.

Le tronaron los dedos a Higinio, y salió como alma que lleva el diablo.
Se refiere a cuando alguien acata una orden con presteza.

Ernesto le echó una retahíla a Chole, que la dejó de a seis.
Quiere decir que después del regaño, la interfecta, se quedó helada.

La pobre de Angustias entró en la danza sin ser danzante.
Esto es algo que les sucede a todos los metiches.

Desde que se inventaron las disculpas, se acabaron los tarugos.
Esta frase se usa cuando la gente trata de curarse en salud.

Si mi abuelita tuviera ruedas, sería bicicleta.
Se dice cuando se supone que algo no tiene remedio.

Al contarle el chisme a Ester, la partieron por el eje.
Se trataba de un chisme que la afectó demasiado.

A Eufrasio le hicieron el juego tablas.
Quiere decir que le hicieron trampa y no le dieron su ganancia.

Las coquetas, ni pa' las orejas sirven.
Se trata de una opinión en contra de las "coquetas", ya que existen unos aretes que llevan ese nombre.

Nada más vio al novio, Salustia, y le bailaron los ojos.
Reconoce que en los ojos se refleja la felicidad.

Le pusieron un sebo a Miguel y cayó redondito.
Se refiere a que con ingenio y habilidad cae el tonto.

En el cumpleaños de Rafaela le hicieron en su casa chilar y medio.
Quiere decir que dejaron todo tirado.

Dígale a Nacho que me doy por muerto.
Se refiere a que no quiere entrar a un duelo, o discusión.

A Tobías le quitaron el sueño con puras cacayacas.
Quiere decir que lo asustaron con baladronadas.

Te cambio mi llanta nueva por tu vieja.
Eufeminística y taimada proposición que encierra una mal disimulada intención.

Lo mejor que hay que darle al que llora, es un pañuelo.
Esto es un mal consuelo, pero es efectivo.

A Pedro, Marieta le dio picones, y él, cayó en el garlito.
Dice que lo llenaron de celos y él se lo creyó todo.

Clemente es mano larga y muy tentón.
Significa que el citado es mañoso con las mujeres.

Muy bien que cantabais, dije, mas no que cantabais bien.
Ésta es una critica encubierta para el que no sabe cantar.

Claudia es mucho canto y nada de opera.
Quiere decir que ofrece mucho y no cumple nada.

Me cayó en pandorga lo que me dijo Chabela.
Así se dice cuando nos hace gracia un chisme.

Narciso no me sirvió ni para botana.
Se usa cuando no se concede valor a la persona.

No hay que nombrar la soga, en la casa del ahorcado.
Aconseja no hablar de problemas ajenos, delante de los interesados.

Ya no quiero ser borracho, quisiera cambiar de vida, ya no tomo en chiquihuite, porque todo se me tira.
Ésta es la promesa de alguien que está decidido a no cumplirla.

No hagas compadre a Pepe, porque vale una pura y dos con sal.
Así se dice cuando el individuo tiene poco valor moral.

No me gustan las viudas, porque el difunto me espanta.
Éste es un dicho vulgar, pero cierto.

A la mañana siguiente, no hay crudo que no sea humilde.
Siempre la resaca es cruel y no da para insolencias.

México, creo en ti, hasta que se acabe el PRI.
Este sistema político, implantado por el PRI, está en plena decadencia.

Compadre, que a la comadre no le agarra las caderas, no es compadre de a de veras.
Es un refrán cínico y no siempre verdadero.

El corazón no envejece, el cuero es el que se arruga.
Se trata de un mal consuelo para las personas de la tercera edad.

El que es buen músico con una sola cuerda toca.
Se complementa con el que dice: "El que es buen gallo, en cualquier muladar canta."

El hombre es como el oso, entre más feo, más hermoso.
Se trata de un concepto antiguo, difícil de aplicar en estos tiempos en que se hacen la permanente y usan aretes.

No importa que me digas negro, sino en el modo con que me lo dices.
No es un refrán racista; la palabra negro se aplica también entre los enamorados.

La mujer que tiene dos, no es loca, sino precavida, si una vela se le apaga, otra le queda encendida.
Éste es un concepto ambiguo dedicado a una mujer coqueta.

No a todos les está el puro, ni a las gordotas el saco.
Se dice cuando no a todos nos quedan las mismas cosas.

Los insultos son como las llamadas a misa, quien quiere los oye y quien no quiere, no.
Recomienda no hacer caso de provocaciones de quienes buscan pleitos.

Ubaldo toma el alcohol como agua de uso.
Este refrán es propio para dipsómanos.

A Perfecto le encanta el cuento.
Indica que a esa persona le gusta el chisme y el enredo.

A Margarito ya le pisaron la sombra.
Esto se complementa, con la expresión que dice: "Ya le tomaron la medida."

Dicen que a Gervasio le rompieron la fe de bautismo.
Quiere decir que le dieron en la torre, o le dieron en el coco.

Anastasio tiene cara de buche.
Quiere decir que dicha persona es mofletuda.

Dale un taco a Cirilo, que una gorda a cualquier perro se le tira.
Dar de comer al hambriento es una de las obras de misericordia. Pero las personas hablan según su educación.

Un trago a nadie se le niega.
Se dice que los borrachitos ofrecen bebida, pero nunca una comida.

Un puro bien revolea, disimula la pobreza.
El corrido de Rivera, dice: "Lo pusieron junto al muro, con su sombrero de lado y revoleando su puro.

A Clara y Ema, les llaman las señoritas huevo.
Este adagio es muy claro.

A Silvestre el tuerto, le apagaron la linterna.
Quiere decir que le dieron un resortazo en el ojo bueno.

No seas tan delicado, José, vergüenza es robar y que te encuentren en la maroma.
Las personas hablan de acuerdo con su moral y su manga ancha.

Hasta aquí llegó mi amor y no le busquen.
Así se dice cuando ya le colmaron la paciencia a una persona.

Cuando Eucaria me platicó sus penas, hasta se me atoró el camote.
Quiere decir que sintió ganas de llorar.

A mi grupo nadie puede entrar ya, porque es un círculo cerrado.
Se complementa con lo que dicen los políticos. Que "su carro está completo."

Cuando llegó Serafina me puso un candado en la boca.
Quiere decir que no volvió a hablar por tratarse de una persona chismosa.

Este Bruno, citando a Napoleón, todo lo que dijo fue una sarta de chismes.
Se refiere a que el aludido se dedicó a hablar mal de todo el mundo.

Mariquita es muy madrugadora, se levanta de a lechero.
Aquí se refiere a que la persona se levanta al alba. Ya que los lecheros reparten su producto muy temprano.

A don Eligio lo mataron de pura carambola.
Que casualmente y de retache, le tocó una bala perdida.

Me tienes como los ángeles, encuerada y sin comer.
Así le dijo una esposa resentida con su cónyuge.

Se queja, Casimira, de que unos nacen con estrella, otros estrellados.
Quiere decir que a unos la fortuna les sonríe, y otros tienen que trabajar duro para merecer algo.

Los estados de la embriaguez son: Los de león, el mono y el cerdo.
Se dice que la bravía es la etapa del león, la comicidad, es la del simio y la irresponsable y penosa situación, es la del cerdo.

COMIDAS

Más vale atole con alegría, que chocolate con amargura.
Esto significa que no por comer bien se han de soportar humillaciones.

Sueño quisiera, que las banquetas me sobran.
Es un dicho de borrachos, que duermen en las banquetas.

No hay milpa, sin huitlacoche.
Indica que así como el huitlacoche es el hongo del maíz —y delicioso alimento— así en todas las personas debe haber algo bueno.

Estoy como agua para chocolate.
Que está muy enojado, hirviendo como el agua.

Salió más caro el caldo que las albóndigas.
Con frecuencia los estragos de una reunión dejan más problemas que la misma.

Ahora es cuando chile verde, vas a dar sabor al caldo.
Se usa cuando se le da una responsabilidad a un hablador.

Pareces ajonjolí de todos los moles.
Así se dice, a quien no rehúsa ninguna invitación.

Chucho es más conocido en el pueblo, que el atole con piloncillo.
Se trata de un alimento barato que usa el pueblo.

Alfredo es tan corriente como las galletas de animalitos.
Cuando se trata de un alimento barato, se le adjudica la condición de popular.

Al que nace para tamal, del cielo le caen las hojas.
Éste es un refrán, un tanto fatalista, como si alguien estuviera predestinado.

Al que no quiere caldo, taza y media.
Esto era parte de la educación antigua.

Si eso dice, pan de huevo, qué dirá tortilla dura.
Cuando los ricos se quejan de la crisis, el pueblo ya se acostumbró.

El que hambre tiene, en pan piensa.
El estómago manda mensaje al cerebro cuando necesita alimento.

Uvas y queso, saben a beso.
Ambas cosas son deliciosas.

Dicen que no, pero todos están en el ajo.
Señala que se trata de un complot.

Le dijeron sus verdades y se quedó más fresco que una lechuga.
Se usa cuando a alguien no le importa, ni se inmuta cuando lo insultan.

Se dice en italiano, que la ensalada, bien salada.
Aconseja que se ponga atención hasta en el menos complicado de los guisos.

Las cuentas claras y el chocolate espeso.
Esto se usa mucho en contabilidad.

De que se eche a perder, a que me haga daño, mejor que me haga daño.
Se refiere a que no se debe desperdiciar la comida.

Canuto está como los frijoles viejos, que al primer hervor se arrugan.
Los viejos coscolinos nomás pueden echar piropos.

Tú eres como el buen chocolate, que no hace asiento.
Se dice a una persona que anda del tingo, al tango.

Eres como el chile piquín, chiquito pero picoso.
Aquí se trata de un condimento mexicano de sabor muy fuerte.

Por majadero, lo mandaron a freír espárragos.
Esta frase se usa para deshacerse de algún latoso.

Gallina vieja, hace buen caldo.
Se supone que la mujer madura siempre es mejor amante.

Jeremías tiene más valor, que el que se comió el primer zapote prieto.
Sucede que esa fruta, aunque es sabrosa, tiene aspecto desagradable.

Ni amores reconciliados, ni chocolate recalentado.
En ambos casos se pierde el delicado sabor.

A tu amigo, pélale el higo, y a tu enemigo, el durazno.
La cáscara del higo puede adherirse a las paredes intestinales y la del durazno ayuda a la digestión.

Se siente soñado, Higinio, porque ya come con manteca.
Se dice cuando alguien puede escoger los ingredientes de su alimento.

Hasta lo que no comes te hace daño.
Así se dice a quien se mete en lo que no le importa.

A darle, que es mole de olla.
Se trata de una invitación a realizar algo diferente.

No compro cebollas por no cargar los rabos.
Se decía antiguamente para no llevar a los niños al mandado.

Se tardó tanto Eulalia, que parece que fue por las cebollas y se enredó con los rabos.
Se le dice a la empleada cuando se tarda mucho en cumplir un encargo.

Macaria busca una cebollita para llorar.
Se supone que busca en quien recargarse para calmar sus penas.

El vino es para los reyes, y el agua para los bueyes.
Éste es un dicho de borrachos.

Para decir mentiras y comer pescado, hay que tener mucho cuidado.
Siempre la mentira sale a relucir, y el pescado tiene espinas.

De dos que se quieren bien, con uno que coma basta.
Este supuesto sólo sirve para refrán, en la práctica no funciona.

Recaudo hace cocina, no Catalina.
Los buenos ingredientes dan sabor a los guisos.

Peléate con todos, menos con la cocinera.
Las buenas relaciones con quien se encarga de la comida, da buenos resultados.

Dime lo que comes, y te diré quien eres.
Generalmente, el menú de una persona habla de su situación económica.

Para alargar tu vida, acorta las comidas.
El comer con mesura es bueno para la salud.

Aquel que tiene hambre, atiza la olla.
Cuando se tiene apetito, se quiere ayudar en la cocina.

Clementina es un hueso difícil de roer.
Se dice cuando una persona, es de carácter impositivo.

Sofía siempre es plato de segunda mesa.
Que se conforma con no ser la principal.

Rosita es pura miel en penca.
Así se habla de una persona amable y llevadera.

¿A quién le dan pan que llore?
Se supone que quien tiene algo que celebrar no tiene porque llorar.

No hay día más triste, que cuando no hay pan.
Todos sabemos que el pan es un alimento básico y necesario.

El confiado de Matías creyó que eso era pan comido.
Cuando alguien se figuró que la situación era fácil de resolver.

Mientras son peras, o son manzanas, conmigo no cuenten.
Esto se utiliza para eludir una discusión.

Cuando se termina de comer, acaban todas las ilusiones.
Se complementa, con el que dice: "Barriga llena, corazón contento."

La comida es la tumba de la alegría.
Ésta es una divisa de los que duermen siesta.

El café tiene que ser: negro como el carbón, caliente como el infierno, puro como el ángel y dulce como el amor.
Así debe ser efectivamente este energético, pero se trata de un refrán italiano.

Es mujer, es una tortilla de dos caras.
Se usa cuando se trata de una persona hipócrita.

Dejar de comer, por haber comido, no hay nada perdido.
A veces una botana quita el apetito.

Con este guiso me diste en mi pata de palo.
Se usa cuando el anfitrión nos sirve el plato favorito.

Que mala costumbre, velar al que está comiendo.
Se refiere a cuando se quedan viendo a la persona que come.

Vóitelas con carbonato, por si fuera indigestión.
Se usa para expresar sorpresa.

No tuvo más remedio que morder el ajo y tragarse el caldo.
Se dice cuando se debe aceptar, forzadamente, una situación incómoda.

El que a este mundo vino, y no bebe vino, ¿a qué demonios vino?
Es un juego de palabras para provocar un brindis.

Bocadito en ollita, y véngamelo usted a dar.
Este es el dicho de un encajoso que quiere todo preparado.

La mujer y la sartén, en la cocina están bien.
Es un refrán español machista y pasado de moda.

No es lo mismo, sopear con gorda, que hacer tacos con tostada.
Se refiere a la imposibilidad de enrollar una tostada.

Si te sigues metiendo conmigo, Bartolo, vas a saber lo que es cajeta.
Advertencia para que el que está provocando, se atenga a las consecuencias.

Este guiso se cuece aparte, Eucaria.
Se refiere a que determinada persona debe ser tratada en forma especial.

Está tan pobre, Remigia, que no tiene ni sal para un huevo.
Aquí se habla de la difícil situación de alguna persona.

A Eulogio le mataron el hambre, y se dio por bien servido.
Es una crítica para el que toma un alimento, y ni las gracias da.

No le pidas peras al olmo, chatita.
Aconseja no pedir opiniones de un tonto.

La comida que me invitó Saturnino fue de salto mortal.
Se usa cuando el alimento ingerido le hizo daño al estómago.

Cayetana se hace la loca para comer a puños.
Aquí se habla de quien finge demencia para sacar provecho.

Le dijo un ejote a otro, no estoy enfermo, soy verde de nacimiento.
Se usa para rechazar la compasión de otra persona.

Lo comido y lo gozado, es lo único aprovechado.
Aunque es parcial porque existe lo aprendido, sí son dos cosas básicas en la vida.

Saturnino estudió para papa y salió camote.
Aunque los dos alimentos citados son semejantes, aquí parece que el camote sale perdiendo.

A Salinas lo llaman el nopal, porque cada día le encuentran más propiedades.
Esta frase se refiere a un ex presidente y a lo benéfico que es el nopal.

Un garbanzo más, no revienta la olla.
Este refrán se coordina con la frase sacramental de los pobres, cuando les llega visita a la hora de la comida. "Échale más agua a los frijoles."

Mira, Pancho, una copa de tequila te aclara la vista y desmancha los pulmones.
Aunque tal vez esto no sea cierto, se usa en las cantinas para empinar al compadre.

Ay, Othón, andas como placa de trailer; hasta atrás.
Así se acostumbra decir cuando el interfecto llega muy pasado de copas.

SABIDURÍA

Cuando el hambre aprieta, el ingenio se agudiza, para bien o para mal.
Este refrán está comprobado con la forma que tiene el pueblo de llevar la crítica situación que se vive.

Del dicho al hecho, hay mucho trecho.
Asegura que es fácil prometer, y muy difícil cumplir.

Muchas veces, la admiración y la envidia, vienen acompañadas.
Es verdad que se debe confiar de quien nos halaga mucho.

Mira lo que va de ayer a hoy. Ayer maravilla fui, y ahora, ni sombra soy.
Esto es una queja que por lo riguroso que se ve, se advierte el paso del tiempo.

Una vida bien vivida, trae una muerte feliz.
Leonardo Da Vinci.

El que poco pide, nada merece.
Con esto se supone que el que no se atreve a pedir lo que merece, es porque no le corresponde.

El que mantiene, detiene, y el que no, ni cara tiene.
Sirve para obligar a cumplir sus obligaciones a los maridos desentendidos.

Un viejo amor, ni se olvida, ni se deja.
Este refrán nos señala que los primeros amores no se olvidan, y se recuerdan siempre.

Arrieros somos, y en el camino andamos.
Aquí, se reconoce que en esta vida hemos de pagar cualquier mala conducta.

Cuídate, Pedro, porque al que no se prepara, se lo llevan entre las espuelas.
Recomendación ranchera para no andar descuidado.

Es más fácil que entre un camello por el ojo de una aguja, que un rico entre al cielo.
Sentencia bíblica.

Leovigildo se metió en camisa de once varas.
Esto quiere decir que abordó un problema lleno de dificultades.

Al caballo y al amigo, no hay que cansarlos.
Dice que no se debe explotar a nadie.

Ojo por ojo y diente por diente.
Frase del Antiguo Testamento.

Todo por servir se acaba, y acaba por no servir.
Quiere decir que nada dura para siempre.

Árbol que crece torcido, nunca su tronco endereza.
Nos indica que hay que educar a los niños desde pequeños.

Al llegar a viejo, Fermín se cortó la coleta.
Indica que las personas mayores no pueden hacer lo que hicieron en su juventud.

Todo cabe en un jarrito sabiéndolo acomodar.
Se usa para enseñar el valor del orden a las personas.

No hay tiempo más desperdiciado, que el que se consume en oír a los habladores.
Feijoo.

Que Alejo se vaya con su música a otra parte.
Que una persona incómoda se vaya a molestar a otro lado.

Para llegar a rico, lo difícil es hacer el primer millón.
El que hace más de un millón, casi siempre es sinvergüenza.

El cobarde y el desconfiado, ve moros con tranchete en todos lados.
Los dos citados caminan por la vida llenos de miedo.

El muerto y el arrimado, a los tres días apestan.
Esto es muy cierto y siempre se debe tener cuidado de no ser abusivo.

El que ama el peligro, en él perece.
El que no tiene cuidado puede sufrir un accidente.

Estoy sudando como tinaja nueva.
Las ollas de barro sudan el agua antes de ser utilizadas.

Margarita siempre llega tarde, como las vírgenes necias.
Hay un pasaje en la Biblia que llama necias a quienes son impuntuales.

Anda tan feliz, Carmela, que no pesa una onza.
Ya se sabe que la felicidad aligera a las personas.

El pesimista muere cien veces.
Una persona ansiosa y angustiada siente llegar la muerte todos los días.

La experiencia es la madre de la ciencia.
Aunque pudiera no ser, del todo cierto, la experiencia es una buena base para toda la vida.

No basta esperar las ocasiones, a menudo, es necesario provocarlas.
Villaume.

Se consigue más con una gota de miel, que con un barril de hiel.
Es verdad que con dulzura se saca más que por la mala.

El dinero no es la vida, es tan sólo vanidad.
Las cosas importantes de la vida no se compran con dinero.

Las palabras se las lleva el viento, pero los escritos, los descubre el diablo.
Recomienda prudencia para escribir lo que puede ser comprometedor.

Gumersinda es como el aceite en el agua, solita se aparta.
Se dice de alguien que no gusta de hacer amistades.

La mujer es como un niño que se enoja y tira el pan, y haciéndole un cariñito, lo recoge y pide más.
Aquí se recomienda tratar a la mujer con dulzura y cariño.

El que nace pa' centavo, aunque se junte con los pesos.
Una persona honrada no acepta dinero mal habido.

El que nunca ha tenido, y llega a tener, loco se quiere volver.
El que pobre se hace rico, pierde la cordura.

El que picones da, picado está.
Cuando se trata de interesar a alguien, se le demuestra el interés que en él se tiene.

Cuando Clemente no tiene la respuesta, se sale por peteneras.
Indica que el aludido sesga la contestación.

Para encubrir su culpa, Jovita, le quiso tapar el ojo al macho.
Se dice cuando alguien se deshace en disculpas anticipadas.

Si quieres buena fama, no te de el sol en la cama.
Refrán español.

El que se fue a la Villa, perdió su silla.
Ciertamente no se puede esperar a nadie durante mucho tiempo.

El que tiene más saliva, traga más pinole.
Al que es más listo, le va mejor que al tonto.

El respeto al derecho ajeno, es la paz.
Benito Juárez.

El que vive engañado, vive feliz y contento.
Esto mientras no se descubra la verdad.

Ojos que no ven, corazón que no siente.
Si no ves, y no sabes, la vida se desliza, feliz.

Dime de qué presumes, y te diré de qué careces.
Generalmente, los tontos presumen de lo que no tienen.

En una trampa hasta los ratones caen.
Es fácil pensar así, pero no siempre es verdadero.

Lo que en el pobre es borrachera, en el rico es alegría.
Indica la diferencia para juzgar a unos y otros.

En el modo de agarrar el taco, se conoce al que es tragón.
El que bien sabe comer, lo demuestra en cualquier momento.

No te ilusiones, Eufemia, todo cuesta trabajo y nada es enchílame otras.
Esto señala que nada es gratis en la vida.

Si amas la vida, economisa el tiempo, porque de tiempo se compone la vida.
Benjamín Franklin.

El dueño del coche, se va en la tablita.
Los amigos abusivos toman siempre lo mejor.

El más amigo, traiciona, y el más verídico, miente.
Recomienda desconfiar, de todos los familiares.

Petra era tan abusiva, que se le levantó la canasta.
A nadie le gusta ser víctima de aprovechados.

En la casa del jabonero, el que no cae, resbala.
Para vivir, hay que caminar con prudencia.

A cada santo, le llega su capillita.
En algún momento todos tenemos lo mismo alegrías, que problemas.

Marido que no da, y cuchillo que no corta, si se pierde, nada importa.
Si un marido desobligado se va, ni se le extraña.

No lleves diario a tu casa, crema y jamón, porque lo que es galantería, se convierte en obligación.
Recomienda no acostumbrar a las personas a darles cosas finas, porque el día que no se les puede dar, lo van a resentir.

El que es tonto, en donde quiera pierde.
Se dice que el que no tiene capacidades, no tiene visos de progresar.

A Casimiro le llegó el agua a los aparejos.
Se dice cuando la persona ya no tiene más capacidad.

No contraigas amistades a la ligera, y procura conservar siempre las que ya hiciste.
Solon.

Fulgencio agrega siempre algo de su cosecha.
Persona que, para quedar bien, crea invenciones.

Duele más el cuero, que la camisa.
Por más que se aleje uno de los parientes, nos duele lo que les pasa.

Donde hubo fuego, cenizas quedan.
Se refiere a los recuerdos que dejan los acontecimientos de la vida.

Me había enojado con Gaspar, pero él, me buscó la cara.
Indica que si alguien se arrepiente de lo mal hecho, es mejor reconciliarse.

A don Pepe, por confiado, le comieron el mandado.
No hay que confiar en recién conocidos, porque todo el mundo busca sacar provecho.

La viuda de Pantaleón, le echó tierra encima lo más pronto que pudo.
Quiere decir que ni luto le guardó.

Antes de salir de casa debemos examinar lo que vamos a hacer y después de regresar, lo que hemos hecho.
Cleobulo.

Chayo es igual a su madre, de tal palo, tal astilla.
De los padres se puede heredar el carácter, o adquirir las costumbres.

De que los hay, los hay, el trabajo es dar con ellos.
La viña del Señor está concurrida por buenos y malos, sólo hay que saberlos distinguir.

La mula no era arisca, los palos la hicieron.
La repetición de un mal trato forma el carácter.

La necesidad tiene cara de hereje.
Hace suponer que el que está necesitado ya no se fija si su conducta es buena, o mala.

La ocasión, hace al ladrón.
Se usa para recomendar el cuidado de los bienes.

La ocasión, la pintan calva.
Esto equivale a las pocas veces que aparece una oportunidad.

En el arca abierta, el justo peca.
Recomendación para no dejar dinero, ni objetos de valor, donde quiera.

Natividad cree que la cáscara guarda el palo, y por eso no se baña.
Mejor sería recomendarle el baño diario a quien se está criticando.

Cuando uno está de malas, hasta los perros lo orinan.
Sirve para quejarse de una mala racha.

Genio y figura, hasta la sepultura.
Lo bueno y lo malo nos dura hasta el fin de nuestras vidas.

Nazario, como los borregos, se alejó para dar el tope más fuerte.
A veces uno cree deshacerse de un necio, pero éste regresa.

Estoy tan triste, que no me calienta ni el sol.
Cuando se está deprimido, ni el buen tiempo se aprecia.

Pobre de Ciro, entre más viejo... más tarugo.
Se usa cuando se le notan a alguien los estragos del tiempo.

A Jacinta la llaman friega quedito, porque todo el día molesta.
Se dice de una persona insistente y fastidiosa.

No hay vago que no sea simpático.
Quizá sea la única cualidad que tienen estos tipos.

No hay peor ciego que el que no quiere ver.
Se usa para criticar al marido engañado que no se quiere dar cuenta de su situación.

En Juanita, el tiempo pasa y los años se le quedan.
Así se critica las huellas del tiempo.

Los dichos de los viejitos son evangelios chiquitos.
Para los católicos, los evangelios son una gran verdad.

No te contentes con alabar a las gentes de bien: Imítalas.
Sócrates.

El pasado se acabó y el porvenir no ha llegado: hay que vivir el presente.
Parece ser que esta idea es la base de la filosofía existencialista.

Cada uno es el arquitecto de su propio destino.
Ésta es una gran verdad, que ya ha sido dicha en poesía.

Entre más viejos somos, más nos parece que la vida es breve.
Quizá esta verdad se finque en que los viejos vislumbran el final.

El diamante se pule con el diamante, y las almas, con las almas.
Aunque ésta es una bella frase, equivale: "A cada oveja, con su pareja".

La calumnia es el peor de los delitos, porque causa daño a quien la padece y no a quien la levanta.
Es una verdad muy cierta y bastante injusta.

La reata se revienta por lo más delgado.
El débil es el que menos aguanta.

El hombre lo puede todo, le basta con querer y no debe contar nunca más que consigo mismo.
Peztalozzi.

Sabe más, el diablo por viejo, que por diablo.
Cierto es que la experiencia es un componente importante de la sabiduría.

No hay fea, sin gracia, ni bonita, sin defecto.
Es verdad que no existen seres perfectos.

Yo no presto, porque al cobrar, me hacen un gesto.
Sirve para recomendar que no se hagan préstamos a nadie.

Se murió el ahijado, y se acabó el compadrazgo.
Cuando se acaba el motivo que inició una amistad, la gente termina como enemiga.

No llores como mujer, lo que no supiste defender como hombre.
Esto es un aserto de la madre que no quiso consolar a su hijo ante la derrota.

No hay que confiarse, ni de indio barbón, ni de gachupín lampiño.
Éstas son características étnicas de las nacionalidades citadas.

Tomasa, no te creas que todo el monte es orégano.
Se previene a alguien de que en la vida hay más dificultades que alegrías.

Según la urraca, es la cola.
Aquí se trata de calificar a alguien por sus condiciones económicas.

Las caídas, de lo más alto, son las más dolorosas.
Quizá por eso sea mejor conservar el mismo nivel toda la vida.

El sordo no oye, pero compone.
Lamentablemente, esto sucede hasta con los que no son sordos.

Una vieja rica, donde quiera cabe, y una vieja pobre, donde quiera estorba.
Esto se deriva de la mala costumbre que la sociedad tiene de juzgar a las personas por su situación económica.

Si la envidia fuera tiña, cuantos tiñosos hubiera.
Indica que hay más envidiosos de los que uno puede suponer.

Se traga la viga y se le atoran los popotes.
Se critica a alguien que se asusta de lo que hacen los demás.

El que es buen juez, por su casa empieza.
Nos recomienda ver primero nuestros defectos antes de criticar.

Mira, Luis, aquí sólo el que pita, grita.
Es una forma de reclamarle a alguien que no aporta dinero a su hogar.

Quien de su casa se aleja, no la encuentra como la deja.
Quien descuida su hogar, no tiene derecho a reclamar.

Si me va mal, por dejada, que me vaya mal, por no dejada.
Esta expresión es de alguna esposa, sufrida y abnegada.

El medio mejor de comenzar bien el día, es pensar si durante él podemos favorecer, por lo menos, a un ser humano.
Nietzsche.

Siéntate en la puerta de tu casa, y verás pasar el cadáver de tu enemigo.
Sentencia oriental que recomienda paciencia para vivir.

Luis tiene corazón de indio, todo lo presiente.
Se dice que el indígena presiente las cosas.

La enfermedad entra rápido y sale por entregas.
Efectivamente, nos enfermamos en un momento y para aliviarnos se necesita tiempo.

A don Honorato por fin le encontraron el talón de Aquiles.
También se puede decir que le encontraron su lado flaco.

La juventud es un mal que se cura con el tiempo.
Se refiere a que la experiencia sólo se adquiere con los años.

No te apures, María, las cosas caen por su propio peso.
Aquí se supone que los problemas, solitos se van resolviendo.

Le chuparon el jugo, y tiraron el bagazo.
Se refiere a que le sacaron lo que pudieron y ni las gracias le dieron.

El trabajo con los hijos, no es tenerlos, sino mantenerlos.
Esto se usa para subrayar lo caro que sale tener un hijo.

En la casa de Pancho, cuando no hay harina, todo es mohina.
Generalmente, en todas partes cuando falta el dinero aparecen los pleitos.

Cuando la miseria entra por la puerta, el amor sale por la ventana.
Por desgracia, el amor también queda incluido en la economía nacional.

Muchas veces, el demasiado amor a la vida, es el miedo a la muerte.
Esto se complementa con: "El que ama el peligro, en él perece."

No hay recuerdo que el tiempo no borre, ni dolor que la muerte no consuma.
Cierto es que el tiempo nos hace perder la memoria y la muerte liquida bienes y males.

La cobardía es la madre de la crueldad.
La crueldad siempre aparece entre los cobardes.

El hombre más fuerte es el que resiste y goza de la soledad.
Efectivamente, la soledad es el crisol de la fortaleza humana.

Podemos perdonar a quien nos fastidia, pero nunca al que nos humilla.
Es cierto que aunque debemos ser humildes, no soportamos la humillación de nadie.

De los cuarenta para arriba, no te mojes la barriga.
Recomienda que al llegar a la edad madura, cualquier enfermedad puede ser fatal.

Duele más el cuero, que la camisa.
Así es, si tuviéramos que elegir entre un pariente y un amigo, no había duda con quien estaríamos.

El más amigo, es traidor y el más franco, mentiroso.
Esta es una expresión amarga que aconseja no confiar en nadie.

Secreto de tres, de todos es.
La condición humana es muy comunicativa.

Entre gitanos no se dicen la buena ventura.
Esto se usa para recomendar discreción aun entre los iguales.

El perro no come carne de perro.
Los animales se respetan entre sí, y no así, los humanos.

La mujer es fuego, el hombre estopa, llega el diablo, y sopla.
Sin llegar al tremendismo, desde el principio de la humanidad, el binomio hombre-mujer, hace fuego.

Caer y levantarse, revela pujanza, mientras que caer y esperar una mano compasiva que nos levante, acusa debilidad.
Ramón y Cajal.

Músico pagado, toca mal son.
Generalmente, si se paga por adelantado, los trabajadores, no cumplen.

Si quieres saber quien es el indito, dale un pestito.
Casi todos nos mareamos cuando nos sentimos con un poco de mando.

Acostumbra, Alejo, ahogarse en un vaso de agua.
Se usa para señalar que alguien es pusilánime.

La suegra, ni de azúcar es buena.
Este parentesco siempre es difícil de sobrellevar.

Quien quiera vivir sano, coma poco y duerma temprano.
Es la ley de la vida, que para vivir bien no se deben cometer excesos.

El que come y no da, que corazón tendrá.
Esto asegura que el no compartir es de miserables.

Feliciana le comió el mandado a Teodosia.
Indica que, la primera, le quitó el novio a la segunda.

Aquellos tiempos en que amarraban a los perros con longaniza, se fueron para siempre.
Lamentablemente, la crisis acabó con todo.

Más vale paso que dure y no trote que canse.
Que es mejor ir despacio para llegar con bien.

En la cárcel, en la cama y lectura de libros, se conocen los amigos.
Efectivamente, ninguno de los tres casos es muy agradable la asistencia.

El que da todo al que pide, pide al fin, al que no da.
Éste es un retruécano, o juego de palabras, que reconoce la innata condición humana.

Dar una orden, no significa nada, lo importante es vigilar su cumplimiento.
Thiers.

Las monedas, como las mujeres, de circular, se hacen lisas.
Así es, la moneda se desgasta y la mujer se desprestigia.

Si la envidia fuera tiña, cuantos tiñosos hubiera.
Es una lástima que la envidia se propaga rápidamente entre nosotros.

Como si callar fuera mengua, no dio descanso a la lengua.
Así se opina acerca de un hablador de oficio.

Llórate pobre y no sola, Pánfila.
Cierto que la soledad es despiadada, pero este refrán se contradice con el que recomienda: "Más vale sola, que mal acompañada."

No gastes tanto, Macaria, recuerda que peso feriado, caballo desbocado.
Cuando se cambia una moneda fuerte, parece que se convierte en nada.

Mira a los López, ahí van con los Sánchez, Dios los cría y ellos se juntan.
Generalmente se buscan amistades afines.

Que bien te hice, Concha, que me pagas con un mal.
Existe la creencia, bien fundada, de que el ser humano se ofende si se le hace un favor.

Es mejor tener cosas que te sirvan y no gente a quien servir.
Las cosas inanimadas deben ser útiles y las órdenes son difíciles de acatar.

Siempre a las noches oscuras, siguen las blancas auroras.
Este refrán se complementa con: "No hay mal que dure cien años"...

Cierro la puerta por dentro, y siento que de veras vivo.
Ésta es la filosofía de quien ama la tranquilidad.

Las águilas andan solas, los borregos en manada.
Se dice que es mejor estar solo que con gente sin personalidad.

Dime con quién andas, y te diré quién eres.
Generalmente, se eligen amistades afines.

Si quieres ser amado ¡ama!
Seneca.

La flor en que se posan los insectos, está llena de matices y de aromas.
Generalmente, cuando se calumnia a una persona, es porque su valor provoca envidia.

Entre el perdón y el olvido, hay una distancia enorme, puedes perdonar la ofensa, pero olvidarla, jamás.
Las ofensas dejan cicatriz profunda, pero hay que tratar de alcanzar el olvido para sanarlas.

No le eches carbón al barco, Odilón, porque ya anda muy cargado.
Con esto se detiene a una persona que está incitando al pleito.

A Chona, la quiero porque está lo mismo con la clueca, que con la ponedora.
Ésta es una forma de agradecer a quien está con nosotros en las buenas y en las malas.

El que comparte y reparte, se queda con la mayor parte.
Esto sucede generalmente con los funcionarios públicos, como por ejemplo, con los de la Conasupo.

Agustina es chisme caliente, mata a la gente.
Casi siempre los chismes pueden dañar al que los inspira.

A la guerra, Juan, no vayas, que un brindis puede más, que el humo de cien batallas.
Frase de Antonio Plaza, hecha refrán.

De músico, poeta y loco, todos tenemos un poco.
Indica que somos muy versátiles, o así lo creemos.

Es verdad que una vez que consigues algo, ya no lo deseas.
Aunque ésta es una condición humana, en política, sí hay reincidentes.

Rómulo es un pájaro viejo, ya no lo meten en jaula.
Indica que es difícil que se case un hombre con experiencia.

Al hablar de Benito Juárez, se agiganta su imagen, como la sombra, cuando el sol se aleja.
Con el paso del tiempo, se admira cada vez más al Benemérito de las Américas.

Hay favores tan sin gracia, que dejan huella sensible en el alma, y hacen en ella, la desgracia.
Se dice cuando un favor va acompañado con una ofensa, o un desprecio y esto lastima mucho.

Más vale caer en gracia, que ser gracioso.
Una persona comedida, siempre cae bien, y la que hace dengues, incomoda pronto.

Chole, dime de qué presumes, y te diré, de qué careces.
Casi siempre se hace alarde de lo que no se tiene.

Tobías, te recomiendo no sudar calenturas ajenas.
Aconseja no apropiarse de las molestias y sinsabores de otra persona.

Tu cantarás muy bonito, Petra, pero a mí, no me diviertes.
Esto se usa cuando alguien no logra convencer con lo que dice.

Ciriaca, ten cuidado con tus banquetes, un invitado, invita a cien.
Como esto es una verdad, hay que saber con certeza a quien se invita.

Vale más resbalar con los pies, Ciro, que irse de la lengua.
Se está recomendando silencio a quien gusta de calumniar a las personas.

Por la mañana pregúntate: qué bien haré en el día de hoy. Por la noche, pregúntate, qué bien he hecho en el día de hoy.
Benjamín Franklin.

Cada quien habla de la feria, según le va en ella.
Es una forma de reconocer que todos tenemos puntos de vista diferentes.

El audaz, con su patraña, a la gente no la engaña.
Critica las presunciones de quienes alardean de lo que no tienen.

Entre santa y santo, pared de cal y canto.
Así se recomendaba tener cuidado con las amistades de ambos sexos.

Los hijos son una enfermedad de nueve meses, y una convalecencia de toda la vida.
Con esto se subraya que una madre es para siempre.

El hombre nació para trabajar, el ave para volar y la mujer para el hogar.
Este es un bonito refrán, aunque pasado de moda.

Nunca a la cama te irás, sin aprender algo más.
Naturalmente, la vida es la mejor universidad.

Por ambicioso, Evaristo, se quedó sin Juan y sin las gallinas.
Este refrán se complementa con: "Se quedó como el perro de las dos tortas."

No olvides un instante, que quedarse atrás, es no ir adelante.
Campoamor.

La meta de la oratoria, no es la verdad, sino el convencimiento.
Ésta es una recomendación para que los políticos sigan elaborando sus discursos.

El miedo es el compañero del crimen y a la vez, su peor castigo.
Ésta es una verdad muy lamentable.

Una mentira, le pisa los talones a la siguiente.
Se complementa, con: "Para decir mentiras y comer pescado..."

Nadie es feliz a menos que esté convencido de que lo es.
Casi siempre, si no pedimos más de lo que tenemos, podemos llegar a ser felices.

La esperanza es la peor de las enfermedades, porque alarga el tormento del hombre.
Esto se complementa con la frase de San Agustín: "Gran estorbo es la esperanza."

El que recomienda paciencia, nunca ha conocido el dolor.
Aunque generalmente es cierto, siempre es mejor actuar que sentarse a esperar.

El tiempo, que todo lo borra, es impotente contra la verdad.
Por eso se debe recomendar veracidad para todo.

Para cuándo son los truenos, sino para cuando llueve.
Parece ser que recomienda esperar a que las cosas sucedan a su debido tiempo.

Aunque Chona me amenaza, a mí, me hace los mandados.
Indica que no se debe tener miedo a las amenazas vanas.

La fortuna llama siempre a la puerta del optimista.
Proverbio Persa.

Cálmate, Cirilo, que lo del agua, al agua.
Se asevera que lo que se consigue fácil, fácil se esfuma.

El honor es de quien lo da, no de quien lo recibe.
Aunque debiera ir a partes iguales, pero es cierto que el Premio Cervantes honra a don Miguel.

La victoria, sin perdón, deja de ser victoria y se convierte en fracaso.
Así se dice cuando el vencido no perdona al vencedor.

La falsa modestia es un fraude a la sinceridad.
Adagio de profundo razonamiento y filosofía implícita.

La flor sin riego, es lo mismo que el amor sin besos.
Se recomienda cuidar tanto el amor, como las flores.

No hay peor vicio que el exceso.
Ésta es una verdad irrefutable, que se basa en el que dice: "Nada con exceso, todo con medida."

El que pide perdón, se redime, y el que lo otorga, se engrandece.
Éste es un magnífico concepto para sobrellevar los avatares de la vida.

El hombre perezoso, es una carga para sí mismo. Las horas pesan rudamente sobre su cabeza.
Proverbio Indio.

Muertos son los que tienen muerta el alma, y viven todavía.
Se dice que el sufrimiento puede llegar a matar el alma.

Los niños prodigios suelen ser hombres tontos.
Ésta es una verdad con excepciones.

La amistad es como el jarro roto, cuando se pega, queda resentido.
Se dice que la amistad requiere de mucho cuidado.

La derrota no tiene amigos; pero el triunfo, tiene miles.
Al que cae en gracia, nadie lo visita, pero al que triunfa, no lo dejan en paz.

Las heridas del alma sólo las cura el tiempo.
Indica que el tiempo es el mejor remedio para muchos males.

Los que dicen mentiras deben tener muy buena memoria.
Aconseja recordar cuando se habla con mentiras.

No desees para otro, lo que no quieras para ti.
Siempre es mejor ser del todo bueno, que serlo únicamente a medias.

Dice Cecilia que llorando descansa el alma.
El llanto alivia la pena y lava la conciencia.

Más hace una hormiga arriera, que un buey echado.
Se refiere a que el laborioso llega antes que el flojo.

Dios ha puesto al trabajo por centinela de la virtud.
Homero.

Más vale bolsa saca, que bolsa seca.
Es mejor tener y ser generoso, que no tener nada.

Dice don Teofilito, más vale cárcel, que tumba.
Se usa para decir que es mejor estar vivo y encerrado, que difunto.

Al que quiere de verdad, el sufrimiento, le agrada.
Indica que con amor ni se siente el sufrimiento.

Más vale un mal arreglo, que un buen pleito.
Indica que para resolver asuntos difíciles, lo mejor es el diálogo.

A Sofía le gusta ver los toros desde la barrera.
Se usa para criticar a quien no quiere arriesgarse.

Cuando de muchacho se es travieso, de viejo, se hace regañón.
Concepto que casi siempre es verdadero.

No te enojes, Saturnino, más vale maña, que fuerza.
Hay cosas a las que hay que buscarle el modo, porque es mejor ser astuto, que fuerte.

No me lo digas tan brusco, Natividad, no sabes que soy cardíaco.
Hasta las buenas noticias hay que decirlas con prudencia.

El tiempo y la reflexión, pueden matar la pasión.
Proverbio Español.

Ni todo el rico es ladrón, ni todo el pobre es honrado.
Aquí se reconoce que de todo hay en la viña del señor.

Ojos que no ven, corazón que no siente.
Se refiere, a que lo que no se ve, si se sabe, no duele tanto.

Lo que se da sin largueza, se acepta sin gratitud.
Se dice que es mejor saber dar, que saber recibir.

La mucha convivencia, es causa de menosprecio.
Indica que no se debe uno prodigar demasiado.

No me divorcio, por no perder lo más por lo menos.
Recomienda reconocer el valor de lo que se tiene.

A la mujer y a los charcos, mejor andarles con rodeos.
Se trata de un buen consejo para evitar tanto pleitos, como accidentes.

Más calientan las piernas de un varón, que diez kilos de carbón.
Ésta es una buena recomendación para las viudas.

No hay ofrecido que salga bien, ni redentor que no crucifiquen.
Aquí se recomienda no meterse en donde no lo llaman.

La experiencia es una llama que alumbra quemando.
Se complementa con: "Nadie experimenta, en cabeza ajena."

Amor, con amor se paga.
Esto es muy cierto, porque no hay moneda que compre un afecto.

Aunque la jaula sea de oro, no deja de ser prisión.
El valor de la libertad es infinito, no se recomienda cambiarla por ningún interés.

De la suerte y de la muerte, no hay quien la vuelta le saque.
Es muy cierto que son dos momentos ineludibles en la vida de los hombres.

Una mentira, mil veces repetida, adquiere la categoría de una verdad.
Esto parece ser el lema de los jefes de prensa de los políticos.

Pobre México, tan lejos de Dios y tan cerca de los Estados Unidos.
Parece ser que lo dijo don Porfirio Díaz.

Una pedrezuela, derriba a un gigante.
Ésta es una gran verdad, como en el caso de David, que derribó a Goliat.

La unión hace la fuerza.
Es muy cierto que si hay unión, se vence al enemigo.

Existen dos verdades, Anselmo; la verdad de importación y la verdad de exportación.
De cualquier manera, el pueblo siempre sale perdiendo.

Más vale tener una mancha en el vestido, que una en la honra.
Recomienda a las jóvenes, vivir dentro de la decencia, de lo que nadie se arrepiente.

Cálmate, Jovita, que las desgracias nunca vienen solas.
Recomienda fortaleza ya que muchas veces después de una pena, sigue otra.

Si el sabio no aprueba, malo, y si el necio aplaude, peor.
Este refrán es una verdad obvia, y nos da la medida de a quienes interesa lo que hacemos.

Cuando el indio encanece, el español ni aparece.
Los indios siempre son conservados en su longevidad y los europeos, aún jóvenes, encanecen.

Recuerda siempre, Ernestina, que la gente mal agradecida, es gente mal nacida.
La falta de agradecimiento es lo peor de la condición humana.

No te bañes, Margarita, más vale oler a unto, que a difunto.
Antes se acostumbraba guardar un mínimo de ocho días sin baño, después de una gripe, ahora esto ha pasado de moda.

RELIGIÓN

ESCRIBIENTE
Nº 12

Dios da el frío, según la cobija.
Ningún castigo del Señor, es excesivo.

Ni tanto que queme al santo, ni tanto que no le alumbre.
Aconseja: no exagerar actitudes.

Dios castiga, sin palo y sin cuarta.
Los castigos de Dios casi nunca son con golpes.

Que se haga la voluntad de Dios en los bueyes de mi compadre.
Es un refrán ambiguo, que parece desear mal a algún amigo.

Hablando con Dios, se encuentra consuelo en la desdicha.
El valor de la oración es infinito.

Mira, Cayetana, a mí no haces comulgar con ruedas de molino.
Dice que no puede creer mentiras obvias.

El hombre de poca fe, poco ha de merecer.
Algo de lo más necesario en esta vida, es la fe.

A Josefa, desde que cambió de religión, le cayó el chahuistle.
El chahuistle es una paga de las plantas, o de los vegetales, y se puede aplicar a los humanos.

El que guarda para otro día, de Dios desconfía.
Por lo menos así dicen, las gentes manirrotas, antes de las tarjetas de crédito.

La oración no puede quedarse en meras palabras, debe ser respaldada con hechos.
Como casi todos los refranes antiguos, esto es muy verdadero.

A Dios rogando y con el mazo dando.
Aquí se recomienda rezar y actuar en consecuencia.

Dios no cumple antojos, ni endereza jorobados.
Aconseja no pedir sandeces al Señor.

Más sabe el diablo por viejo, que por diablo.
Se tiene más experiencia en la vida por la edad, que por la astucia.

En las cosas de dos, sólo Dios.
Sirve para evitar que la gente intervenga en matrimonios.

El hombre cava su sepultura, con sus propios dientes.
Sentencia bíblica que previene contra excesos en la comida.

Dios todo Poderoso, es consciente para siempre.
Aquí se acepta la voluntad Divina sin objeciones.

Dios escribe derecho, en renglones torcidos.
Sentencia bíblica, para aceptar los designios del Señor.

Anastasia, preguntas más que el padre Ripalda.
Se refiere al catecismo dictado por el padre del mismo nombre.

Me ofendió por partida doble, al criticar mi religión.
Cuando se tiene una religión, hay que defenderla más que a uno mismo.

La crisis, es tan larga, como la cuaresma.
Una época mala, dura más que cuarenta días.

Este Gaspar, si que puso la iglesia en manos de Lutero.
Es una antigua expresión que equivale a la que dice: "Al ladrón de caballos, hay que darle a cuidar los caballos."

Escucha, Jovita, quien da y quita, con el diablo se desquita.
No hay que referir, cuando se hace un regalo.

Cuando el pobre tiene medio para carne, es vigilia.
Aquí se comenta la situación lastimera de los pobres.

Está más feo Celestino, que pegarle a Dios en Viernes Santo.
Por supuesto, no sólo es feo sino también es pecado mayor.

Peca más el que pierde, que el que roba.
Casi siempre el que pierde sospecha de todos a su alrededor.

Cuando te ofendan, pon la otra mejilla.
Frase de Nuestro Señor que consta en los Evangelios.

Pánfila se cobijó con la túnica de Cristo.
Así se dice cuando a alguien lo favorece la suerte.

Qué barbaridad, Eufemia, ves la tempestad y no te hincas.
Se dice cuando en algún problema, hay alguien que no se preocupa.

Yo soy como Santo Tomás, necesito ver, para creer.
Aquí se quiere decir que es necesario recordar que la fe es ciega.

Estoy tan angustiada, que no me cabe el alma en el cuerpo.
Ésta es la queja de una madre cuando no llegan sus hijos.

Platicando con Marieta, se me fue el santo al cielo.
Quiere decir que no se siente el paso de las horas cuando se está entretenido.

Es más fácil que pase un camello por el ojo de una aguja, que un rico se vaya al cielo.
Frase bíblica que consta en los Evangelios.

Sea por Dios, y venga más.
Se usa para expresar resignación.

Evaristo se robó el santo y la limosna.
Esta frase se usa cuando se es víctima de un gran robo.

San Cuilmas el Petatero, me guarde.
Ésta es una expresión muy mexicana.

El que de Santo resbala, hasta demonio, no para.
Se usa en general para quienes estudian en el seminario y lo abandonan.

Dios habla por el que calla.
Quiere decir que el Señor defiende de las injusticias de la vida a quien se queja en silencio.

Cada uno en su casa, y Dios en la de todos.
Aquí, se aconseja no tomar parte en dificultades ajenas.

Estoy tan triste, como Jesús en el Huerto de los Olivos.
Se refiere a cuando se sufre con tristeza y resignación.

A mí, no me tizna el cura, ni en miércoles de ceniza.
Los miércoles de ceniza el cristiano va por su voluntad a que le imponga el sacerdote, una cruz de ceniza en la frente.

Palo dado, ni Dios lo quita.
Cuando se resiente una injusticia, ya no vale ni planteárselo a Dios.

Cuando pido justicia, parece que clamo en el desierto.
Lamentablemente, esto está llegando a ser cierto en nuestros días.

Doña Macabra hizo a su marido angelito.
Como a los niños no se les guarda luto, se dice que las viudas alegres, tampoco lo guardan a sus maridos.

Ya mero la ve, San Pedro, y luego la besa un pobre.
Éste es un juego de palabras, para confundir la ortografía.

Mujer de poca fe, ¿por qué dudas?
Frase religiosa del Mesías.

A Dios rogando y con el mazo dando.
Acata el mandato divino que dice: "Ayúdate que yo te ayudaré."

El que no conoce a Dios, donde quiera se anda hincando.
Critica la actitud confundida de algunos cristianos.

Juana cree que trae a Dios cogido de las barbas.
Se usa cuando una persona presume de tener influencias.

Dios se lo pague y le dé más, hermano.
Frase hecha que usan los mendigos para agradecer la limosna.

Estando bien con Dios, aunque se enojen los santos.
Se dice que estando bien con la persona importante, nada tienen que ver los achichincles.

Se armó la de Dios es Cristo.
Se usa para describir una pelea campal.

Pánfila no le sirve, ni a Dios, ni al diablo.
Se critica la inutilidad de una persona.

Suerte te dé Dios, hijo, que el saber, poco te importa.
Aunque en estos tiempos es mucho mejor tener un título.

Todos somos hijos de Dios, y merecedores de su reino.
Sin embargo, se recomienda hacer méritos para llegar al reino de los cielos.

Ojo al Cristo, que es de plata.
Con esto se recomienda estar vigilante con las cosas de valor.

Agárrate del santo y no te trepes al guayabo.
Recomienda tener fe, antes que probar remedios dudosos.

El que por su gusto muere, ni el camposanto merece.
Los suicidas no caben ni en los panteones.

Después de la explicación que le dieron, se quedó Sofía como cuando se decía la misa en latín.
Así se dice cuando alguien no entiende lo bien explicado.

Cuando Dios socorre, hasta los costales presta.
Dios es infinitamente bondadoso.

Algo tiene el agua, cuando la bendicen.
Exagerada recomendación de desconfiar.

Dios tiene más que darnos, que nosotros que pedirle.
Dícese que el Señor siempre está pendiente de sus hijos.

Cuando Dios dice a fregar, del cielo cae la escobeta.
Frase irreverente que se repite cuando se pasa una mala racha.

De qué sirve ganar el mundo, si al final, se pierde el alma.
Buen consejo para los funcionarios públicos.

Se quedó como la oración de la Magnífica: sin cosa alguna.
Ojalá que esta frase llegue a Almoloya.

Aquel que esté libre de culpa, que arroje la primera piedra.
Expresión de Jesucristo, al defender a la mujer adúltera.

Celsa busca trabajo pidiéndole a Dios no encontrar.
Se critica a quien no gusta del trabajo.

Por sus obras, los conoceréis.
Consejo de Nuestro Señor que recomienda juzgar por los resultados.

Sabes que a Monchito lo llaman Dios, porque nadie lo puede ver.
También se dice cuando se encuentra a alguien en todas partes.

Nadie puede quedar bien con Dios y con el diablo.
Critica a personas que quieren quedar bien con todos.

No se puede repicar y andar en la procesión.
Recomienda no hacer dos cosas al mismo tiempo.

Esa niña de Eucaria, es la piel de judas.
Así se dice cuando la criatura es muy traviesa.

San Isidro Labrador, quita el agua y pon el sol.
Imprecación que cantan los niños en época de lluvias.

Ahora sí, Demetrio, ya no te creo ni el bendito.
Así se dice al que abusa de las mentiras.

Ya ni en el cielo hay gobierno, la mujer de San Adrián, se la quitó don Guillermo.
Ésta es una afirmación irreverente, usada en cancioneros populares.

Arrepiéntete, Celso, que de los arrepentidos, se sirve Dios.
Esta aseveración la venimos escuchando desde la doctrina, por lo tanto, bien puede ser verdad.

Lo dijo Judas a Gestas, qué fregaderas son éstas las que me pasan a mí.
Lamentación por algo que no sale bien.

Dios aprieta, pero no ahorca.
Si tenemos fe en Dios, podremos resolver nuestras dificultades.

A comer y a misa rezada, a la primera llamada.
Son dos momentos en los que se debe ser muy puntual.

Qué culpa tiene San Pedro, que San Pablo sea pelón.
Este irreverente refrán, esquiva cualquier culpabilidad.

De la muerte no se escapa, ni el rico, ni el buey, ni el Papa.
Recomienda tener muy presente nuestra condición de mortales.

El pecado, se dice, pero el pecador se calla.
Aquí se hace referencia al secreto de confesión de los sacerdotes.

Mira, Petrita, mejor no traigas a tus hijos, porque yo ni al niño Dios le rezo por ser niño.
Se usa cuando a una persona mayor le aturden las travesuras de los niños.

Al que Dios le ha de dar, por la gatera le ha de entrar.
Se piensa que coordina bien con el refrán que dice: "Suerte te dé Dios, hijo, que el saber, poco te importe."

Sermón bueno y largo, malo. Sermón malo y corto, bueno.
Se considera una virtud la brevedad de los axiomas, y mucho más la de los discursos.

Mira, Juana Inés, la envidia es el dolor del bien ajeno.
Efectivamente, la envidia es un dolor que sólo afecta al que la siente.

Para vivir, cualquier religión es buena, para bien morir, dijo Lutero, la Católica Madre, es la segura.
El valor de esta sentencia estriba en que, Lutero, siendo un sacerdote católico, fundó el protestantismo.

El que al cielo escupe, a la cara le cae.
Dice que el que habla mal de sus superiores, o de su religión, es como si lo hiciera de sí mismo.

No soy mala, por el miedo que le tengo a Dios. Porque hasta una mala mirada, se paga.
Aconseja que a Dios no se le tenga miedo, pero sí mucho respeto.

SOCIOLOGÍA

Cualquiera puede tocar el tololoche, pero no todos lo quieren cargar.
Indica que todos estamos dispuestos a asistir a una fiesta, pero no nos gusta trabajar en prepararla.

Hacerle un bien al ingrato, es lo mismo que ofenderlo.
Esto se complementa con el que dice: "¿Por qué no me quiere Ubaldo, si nunca le he hecho un favor?"

Hay muertos que no hacen ruido y son mayores sus penas.
Es bastante práctico para callar a los llorones.

Hijos chicos, penas chicas; hijos crecidos, trabajos llovidos e hijos casados ladrones disfrazados.
Lamentablemente en algunos casos esto es cierto, pero por encima de todo está el amor de los padres.

Donde lloran, ahí está el muerto.
Señala que el que se queja más, es el que más tiene.

Clementina hizo como el sapo; llegó haciéndose chiquita y luego se infló.
Los huéspedes de mucho tiempo, inspiraron este refrán.

En el pueblo de los ciegos, el tuerto es rey.
Indica que entre los ignorantes, el que sabe leer, puede ser líder.

Pobre de Jovita, come frijoles y eructa jamón.
Quiere decir que la gente que presume de lo que no tiene, da lástima.

Tomasa es como el Calendario de Galván, promete vientos y llegan tempestades.
Aquí se indica que se trata de una persona muy conflictiva.

Alejo siempre queda como el cohetero, si lo hace bien, le chiflan y si lo hace mal, también.
Hacer cohetes es una profesión ingrata y se traslada a otras no menos tristes.

Cálmate, Osvaldo, que en esta vida todos tenemos la espada de Damocles en la cabeza.
En tiempos de crisis este refrán adquiere la categoría de una verdad.

Ciriaca está como la tamalera, mal y vendiendo.
Se usa cuando la indicada no puede abandonar su trabajo.

¿Que cómo son los candidatos? ¡Tan malo el pinto, como el colorado!
No importa de qué partido sean los candidatos, siempre se olvidan de las necesidades del pueblo.

El que por otro pide, por sí aboga.
Habla de la solidaridad que en esta vida debemos tener todos.

A Pánfila nada le asusta, está acostumbrada a velar muertos con cabezas de cerillos.
Habla de una mujer que se enfrenta con la vida en cualquier circunstancia.

La ropa limpia, no necesita jabón y debe lavarse en casa.
Asegura que los problemas familiares, en el caso de existir, deben resolverse en familia.

A los diputados les gusta sacar las castañas con la mano del gato.
Se refiere a que estos funcionarios siempre pasan los problemas a otras instancias.

Nazario es limosnero y con garrote.
Señala que pide favores de mala manera.

María siempre quiere llevar agua para su molino.
Que aprovecha cualquier circunstancia en su beneficio.

Agapito cometió el robo y emprendió el vuelo.
Ésta es costumbre ancestral de los ladrones.

El triunfo engendra enemigos gratuitos.
Es triste que casi siempre sea verdad esta sentencia.

En la boda de Epitasio, se armó tal rebatinga, que no se supo en qué acabaron esas misas.
Las discusiones entre muchas personas impiden ver el final de las mismas.

Los lunes, ni las gallinas ponen.
Esto habla de las malas costumbres del pueblo que se emborracha los fines de semana y el lunes, no puede trabajar.

Juana, ten cuidado, es bueno el encaje, pero no tan ancho.
Recomienda no abusar de la buena fe de la gente.

La libertad, hasta pintada es bonita.
Esta aseveración no tiene contra, todos estamos de acuerdo.

No le quedó el puesto a Canuto, el difunto era más grande.
Asegura que el que desempeñaba antes ese trabajo estaba más capacitado.

Nacho, por qué estás tan solo, ¿entraste a la Cofradía con don Cornelio?
Esto es un dicho vulgar y majadero.

Mátenlos en caliente, o fusílenlos y después virigüen.
Éstas son dos expresiones que persisten aún muerto Porfirio Díaz.

Nadie aguanta un cañonazo de cincuenta mil pesos.
Ésta es frase del General Álvaro Obregón, cuando el dinero tenía valor.

Les tengo horror a los tontos.
López Velarde.

Ay, Inés, hasta lo que no comes te hace daño.
Se usa para marcar el alto, a algún metiche.

Hay dos clases de tontos, los que son y los que se hacen.
En estos casos es culpable el que se hace, el otro inspira compasión.

El que busca la parranda, es hijo de la mala vida.
Es como dijo Agustín Lara en su canción, las noches de ronda, hacen daño y dan pena.

Me pones a leer y a escribir, si me preguntas mi opinión sobre el gobierno.
Esto indica que quien responde pertenece a la oposición.

La gratitud y los sepulcros deben ser perpetuos.
Éste es un buen consejo para que no proliferen tanto los ingratos.

La ley de los Caifanes, al fregado, friégalo más.
Esto casi es caló, que se usa entre los delincuentes.

La fruta bien vendida, o podrida en el huacal.
Éste es un antiguo consejo que daban las madres a sus hijas.

La mitad lista, vive de la mitad tonta.
A veces creo que el porcentaje de la segunda, aumenta día con día.

Está bien que frieguen, pero a su madre... que la respeten.
Éste es un buen consejo aunque muy mal expresado.

Muerto el perro, se acabó la rabia.
Cuando un conflicto se resuelve, se acaba la discusión o el pleito.

Lo olvidado, ni agradecido, ni pagado.
Lamentablemente hay muchas personas que dicen haber olvidado el favor recibido.

Ni son todos los que están, ni están todos los que son.
Éste es un juego de palabras que se puede aplicar a la cárcel de Almoloya.

El mal nacido, ni siente agravios, ni agradece beneficios.
Esto nos recomienda tener mucho cuidado con las personas que favorecemos.

No es falta de cariño, te quiero con el alma, pero ya me voy.
Ésta es la despedida de un sinvergüenza o de un enfermo.

No calces al indio porque la pata es fuerte.
Recomendación para no hacer favores a quien no los merece, porque nos puede ir muy mal.

Por esto de la crisis, el hambre le pide a la necesidad.
Indica que ya no tenemos ni a quién pedirle un favor.

No nombres la cuerda, en la casa del ahorcado.
Recomienda no hablar de necesidades con los menesterosos.

No hay plazo que no se cumpla, ni deuda que no se pague.
Quiere decir que la vida nos cobra puntualmente lo que hayamos hecho.

Para que sepa lo que es amor a Dios, en tierra ajena, déjalo que se vaya.
Ésta es una forma de dar consuelo a quien se siente abandonado.

Se murió el padre y se llevó la llave de la despensa.
Esto sucede cuando en el hogar hay una sola entrada económica.

El que no ve adelante, atrás se queda.
Quiere decir que no se debe perder la fe en el futuro.

No cuentes el dinero enfrente de los pobres.
Recomienda no hacer alarde de ningún bienestar frente a los necesitados.

La palabra convence, pero el ejemplo, arrastra.
Éste sería un buen consejo para nuestros políticos, que sólo saben hacer bellos discursos.

Quisiera ser ciego para no ver tanto horror.
En estos tiempos difíciles que vivimos, no queremos ver ni los noticieros.

No será moral, pero es humano.
Así se disculpan los delincuentes de cuello blanco.

Nada de lo humano nos es ajeno.
Todos corremos el riesgo de equivocarnos, tan sólo con vivir.

Para educar, los padres; para malcriar, los abuelos.
Los padres tienen obligación de educar, y los abuelos de disfrutarlos.

Si ésta es la casa chica, ¿cómo será la grande?
La casa chica es una herencia que nos dejaron los españoles, pero ahora la casa chica es igual que la casa grande.

Mi jefe me trae a la carrera, como entierro de pobre.
Es triste pero los entierros de los pobres siempre son precipitados.

A Josefa le dieron malacatonche y se quedó viendo visiones.
Se usa cuando el novio le promete demasiado y no le cumple nada.

Por angas, o por mangas, siempre yo, tengo la culpa.
Es posible que esto sea verdad, porque en estos tiempos hay que andar con mucho cuidado.

Ya lo dijo un rey de Francia: "París, bien vale una misa."
Esta frase histórica se usa para animar a los demás a embarcarse en algún negocio.

Aquel que hace un cesto, hace un ciento.
Se supone que el que roba poquito, es capaz de robar mucho.

En mi familia, al final de la discusión, yo soy el que paga los trastes rotos.
Ésta puede ser la queja de un padre incomprendido.

El que da, obliga y el que recibe, queda obligado.
Esto es muy cierto cuando se trata de personas conscientes y educadas.

Sentí tal vergüenza, que dije: trágame, tierra.
Así se exclama, cuando en verdad se siente una vergüenza infinita.

Hace más falta valor para vivir, que para morir.
Napoleón.

Los pueblos tienen los gobernantes que se merecen.
Ésta es una frase hecha, que cuando el pueblo es conformista, sí se puede aplicar.

No existe enemigo pequeño, ni mentira piadosa.
Un enemigo siempre es peligroso, y una mentira, siempre es mentira.

Donde manda el caporal, no gobiernan los vaqueros.
Se complementa, con el que dice: "Donde manda capitán, no gobierna marinero."

La revolución levanta la basura.
Quiere decir que quien no lo merece tiene oportunidad de subir.

En tiempo de remolino, hasta la basura sube.
Es como el anterior, casi una verdad.

Mujer que sabe latín, ni encuentra marino, ni tiene buen fin.
Éste es un concepto de tiempos pasados para recomendar la ignorancia a las mujeres.

Es tan hipócrita, que parece que no rompe un plato.
Ésta es una crítica para las personas que gustan de hacerse pasar por muy buenas.

Matrimonio entre pobres, fábrica de limosneros.
Este refrán se origina, en la idea de que los pobres tienen hijos por no saber, o no tener forma de evitarlos.

Abuelo abarrotero, hijo parrandero y nieto limosnero.
Se dice que en otros tiempos los abuelos españoles venían a poner tiendas, los hijos gastaban la herencia, alegremente, y los nietos pedían limosna.

Da más el duro, que el desnudo.
El agarrado puede ser más desprendido que el bruja, que no tiene nada.

Andas tan fachosa, Silveria, que pareces chile deshebrado.
Así se critica a una persona descuidada de su arreglo.

Con tu chisme, Antonia, me pusiste una banderilla de fuego.
En términos taurinos esto significa que le sembró un desasosiego.

Siempre el desdichado llega tarde, cuando reparte bienes la fortuna.
Se sabe que al desafortunado, pocas veces le llega el bienestar.

Juego que tiene desquite, no hay quien se pique.
Aquí se recomienda tratar siempre con personas en igualdad de circunstancias.

Siendo un patarrajada, quiere parecer un aristócrata.
Se dice de quien teniendo un pasado pobre, trata de olvidarlo con el bien vestir.

Teresa presume de que le abunda la escasez.
Éste es un dicho burlón, referido a quien simula pobreza, para no cooperar.

Me pidió María un favor, pero con trompeta.
Así se dice cuando alguien pone condiciones y exige al solicitar un servicio.

Serafina tiene mucho miedo y poca vergüenza.
Indica que la citada comete errores injustificables.

No me gusta la novia de Andrés, me parece insignificante. "Cada oveja, con su pareja."
Esto suponiendo que las parejas deben tener el mismo nivel social y cultural.

Don Vicente miente, como el diente.
Se dice que no siempre el diente que saca el dentista, es el que duele.

Aunque el mundo tiene cosas horrendas, la peor de todas, es la sociedad.
Schopenhauer.

En las manos del pobre, la plata se vuelve cobre.
Así es, por más que el pobre trabaje, nunca le alcanza para cubrir sus necesidades.

Lo que en el rico es alegría, en el pobre es borrachera.
Éste es un dicho clasista para hacer quedar mal a los pobres.

Fue terrible el bautizo de la hija de Nicanora, se volvió una fiesta de rompe y rasga.
Dice que es muy corriente la reunión y los invitados indeseables.

A mí no me toquen dianas, porque soy tambor mayor.
Así pide un funcionario para que no anden con rodeos.

Nadie es profeta en su tierra.
Señala que es difícil destacar dentro del ambiente propio.

Era tan rastrera, Amalia, que le bebía los alientos a Josefina.
Así se critica a quien se complace en ser servil.

Los amigos de mis amigos, son mis amigos.
Esta puede ser una frase de cortesía, o de, identificación.

El hombre se precipita al error, con más rapidez, que los ríos al mar.
Voltaire.

Le dieron una paliza a Eulogio, que lo dejaron como un santo Cristo.
Así se dice cuando alguien es golpeado hasta hacerlo sangrar.

Lo que no fue en tu año, no fue en tu daño.
Indica que no hay que preocuparse por el pasado, sólo el presente cuenta.

Las cosas se toman, como de quien vienen.
Recomienda tomar en cuenta la condición de las personas.

Ladrón, que roba a ladrón, tiene cien años de perdón.
Aunque esto es de muy difícil realización, se usa para consolar al robado.

Los generales deben morir con las botas puestas.
Aquí se habla del valor de los militares.

Al general Matías le hizo justicia la revolución.
Éste es un comentario burlón para quien se hizo rico después de la revolución.

La política, a la mexicana, es turbia y complicada, huérfana de valores cívicos.
Esto se desprende de los noticiarios actuales.

Aquí yaces y haces bien, tu descansas, y yo también.
Éste es el epitafio que un marido oprimido puso en la tumba de su esposa.

La Revolución, es la Revolución.
Frase del abogado Luis Cabrera.

La burocracia es pan para hoy, y hambre para mañana.
Se dice que los burócratas la pasan muy bien... antes de que los corran.

La libertad se paga siempre con la zozobra.
Dado que ser responsable, de uno mismo, provoca inquietud.

La calumnia es como una bola de nieve.
Se sabe que un falso testimonio, circula más que cualquier periódico.

La pobreza pone fea hasta a la mujer más bella.
Se sabe que cuando no hay medios de subsistencia, la belleza se apaga.

Después de los hechos consumados hasta el idiota es sabido.
Homero.

La mayoría de los oradores, nacen, no se hacen.
Se sabe que la palabra es un don que Dios nos da.

En la capital, encontrar a mi hermano, es como buscar una aguja en un pajar.
Ciertamente, es difícil encontrar a una persona en una gran ciudad.

De enero, a enero, el dinero, es el montero.
Reconoce las funciones del guía.

Hay hombres pobres y pobres hombres.
Uno de nuestros políticos, dijo: "Un político pobre, es un pobre político."

La embriaguez es una locura voluntaria.
Sin embargo, bien puede curarse con templanza.

Las personas silenciosas, siempre son peligrosas.
Más vale amigos parlanchines, que encuevados.

Una mentira, mil veces repetida, adquiere la categoría de una verdad.
Éste es un conocimiento muy útil para los publicistas.

El placer, el dolor y el amor, son resortes que mueven al mundo.
Aunque esto es cierto en la vida hay otras motivaciones: la ambición, la envidia, el agio.

La guerra idiotiza al vencedor y encoleriza al vencido.
Nietzsche.

Cuando veas las barbas de tu vecino rasurar, pon las tuyas a remojar.
Esto es una advertencia por si no se tiene la conciencia muy tranquila.

Dichoso el hombre que tiene una buena mujer, pero más dichoso es el que no tiene ninguna.
Ésta es la exclamación de un soltero feliz.

Tierra buena, agua clara y gente buena.
Así reza la divisa del estado de Aguascalientes.

Bartolo anda con su sombrero de lado y revoloteando el puro.
Así se dice de quien trata de disimular su pobreza.

No es justo que lo que haga Pedro, lo pague Juan.
Naturalmente que no, pero sin embargo, llega a suceder.

Nabor tiene una facha de pelado, que no puede con ella.
Así se describe a un hombre que hace alarde de vulgaridad.

Cuando Silvestre le cantó sus verdades a Clodomiro, a éste le cayó un rayo en seco.
Dice que lo dejó fulminado.

Unos bailan una pieza, y otros se quedan sentados.
Así les pasa a nuestros políticos.

Los que están en el poder tienen su carro completo.
Indica que llegan con todo su equipo y ya no le dan chamba a nadie.

En los asuntos de este mundo, los pobres no se salvan por la fe, sino por la ausencia de ella.
Benjamín Franklin.

Ciricaco es una aplanadora.
Así se dice de un holgazán sin oficio ni beneficio, sino todo lo contrario.

El hombre debe ser feo, fuerte y formal.
En estos tiempos resulta difícil encontrar a alguien con dichas cualidades.

Se siente muy distinguido, pero es un pobre cocorroco.
El cocorroco es un tipo de clase muy baja.

Cuando saludé a Ernesto, puso cara de vaqueta.
Así se dice cuando el indicado frunce el ceño y se pone hosco.

La mujer casera, nunca peca de parlera.
Se dice que una mujer hogareña es prudente y reservada.

Sólo se echó una cana al aire, y lo pagó muy caro.
En estos tiempos con el sida, es muy peligroso andar de parranda.

Ya somos mucha gente, vámonos haciendo menos.
Aunque esto es recomendable, es muy difícil llevarlo al cabo.

Hay que vivir como que te has de morir pronto, y trabajar como que has de ser eterno.
Se recomienda, vivir más feliz y trabajar más calmadamente.

Tobías no vale un cacahuate.
Quiere decir que consideran al tipo insignificante y torpe.

Más vale llorar sola, que no en ajeno poder.
Recomendación para quien busca a un marido por interés.

Agapito, le envió el alma al diablo para ser diputado.
Significa que no importa lo que tuvo que sombrerear para alcanzar el poder.

Estamos pagando la deuda, y sigue la mata dando.
No acabamos de pagar los intereses y ya estamos volviendo a pedir prestado.

El hombre que sabe hablar, es peligroso.
Bien pudiera ser porque siempre presenta buenas razones.

El que venga atrás, que arríe.
Esto deben haber pensado los políticos del sexenio anterior.

Ya, ya, Martín, que sea menos. No seas tan echador.
Se usa para calmar a alguien que se quiere sentir más de lo que es.

Cuando una mujer avanza, no hay hombre que retroceda.
En las grandes hazañas, las mujeres ponen el ejemplo.

El trabajo de la casa envilece, empobrece y nadie te lo agradece.
Verdaderamente, el rudo trabajo cotidiano de un hogar, no reditúa ni económica ni afectivamente.

En este mundo traidor, nada es verdad ni mentira, todo es según el color del cristal con que se mira.
Refrán español.

Desde hace tiempo, Gaspar, le entró a la beberecua.
Así se dice cuando alguien toma copas diario.

Ese hombre es un ladrón de camino real.
Esto se aplica al ratero descarado.

Paco está furioso, le fusilaron su obra.
Se refiere a cuando le plagian a alguien su trabajo intelectual.

Le andan haciendo política a Porfirio.
Indica que lo están intrigando.

El buen juez, por su casa empieza.
Se refiere a que se debe hacer justicia, empezando por los de uno.

La virtud a fuerza, no es virtud.
Nada que se haga por obligación, puede cumplir su cometido.

Soy discreto, lo que usted me dice, aquí se queda.
Formalista mentira de un chismoso, que no se cumple nunca.

Llórate pobre y no sola, decía una viuda.
Aquí se asevera que la soledad es peor, que la pobreza.

Es tan hombre, Mario, que llora por dentro.
Dícese cuando alguien no hace aspavientos por sus penas.

A ese pobre político, le arrojaron un mendrugo.
Se dice cuando alguien recibe un flaco favor.

Al decirle a Pachita lo que yo sabía de nuestra mutua amiga, se me quitó un peso de encima.
Esto sucede cuando se comparte un secreto.

Nada pide Micaela, pero si se ofrece, se lleva la tienda.
Aquí se habla de una persona abusiva.

No hay camino más seguro, que el que acaban de robar.
Este refrán ha pasado de moda con el incremento de la delincuencia.

No le creas a tu novio, Chencha, del dicho al hecho, hay mucho trecho.
Quiere decir que entre decir y hacer, hay una gran distancia.

Mi compadre Chon nunca pasó de perico perro.
Así se acostumbra decir cuando alguien no hizo nada en la vida.

Cuando el tecolote canta, el indio muere, no será cierto, pero sucede.
Esta ancestral sentencia, sigue vigente para las comunidades étnicas de nuestro país.

Más vale aguantar las injusticias, que rebatirlas.
Aunque tal vez sea verdad, hemos de reconocer que por aguantadores, estamos como estamos.

PIROPOS

Ay, qué buena está mi ahijada, pa' que la habré bautizado.
Expresión vulgar para reconocer la belleza de una muchacha.

Qué bonita piedrecita, para darme un tropezón.
Aquí se reconoce la belleza de una chica.

Canuta nunca ha sido fea, mucho menos cacariza.
Aquí se explica que la muchacha tiene muchos dones.

Ay, qué bonita mujer, lástima que tenga dueño.
Este piropo, falto de respeto, se dirige a una mujer casada.

Para chulas, las muchachas de mi tierra.
Este es un piropo, al revés, que hace memoria, de las beldades de su patria chica.

¿Quién se moriría en el cielo, que hasta los ángeles andan de luto?
Se dirige a una belleza vestida de negro.

Con esta mujer tan linda, hasta al infierno me iría.
Este refrán explica los sacrificios que el conquistador dice, haría por esa mujer.

Ay, mi alma, si usted me quisiera, hasta trabajador me hacía.
Este requiebro es el de un cínico y vago.

Al pasar por tu ventana, me aventaste un limón, el limón me dio en la cara, y el zumo en el corazón.
Esto es toda una fábula para relatar que la muchacha lo despreció.

Me he de comer esa tuna, aunque me espine la mano.
Reconoce la belleza de la mujer, y confía en sus propias dotes.

¡Ay, qué curvas y yo sin freno!
Así reseña, un camionero su imposibilidad de alcanzar a una bella dama.

Con esta carne, ni frijoles pido.
Esto recuerda la majadería del pueblo.

Jovita, las veredas quitarán, pero la querencia ¿cuándo?
Esto, para la pobre muchacha, bien puede ser una amenaza de no dejarla en paz.

Esa mujer está buena, como plátano maduro.
Sigue en los piropos la vulgaridad de nuestra gente.

De vírgenes y deseos, están los infiernos llenos.
Retruécano para una despreciativa mujer hermosa.

A Onésimo le gusta más el lomo, que el retazo con hueso.
Esto es una abierta crítica para las modelos tan flacas que hoy nos están imponiendo.

A Ubaldo se le antoja más el jamón que la cecina.
Indica que prefiere a las modelos de Rubens que a las de Play Boy.

Bien haya, lo bien nacido, que ni trabajo da criarlo.
Así le dice un viejo verde a una chamaca quinceañera.

Ya no me hace cosquillas cualquier pluma.
Dice mi tío Martín, cuando pasa una mujer de su edad.

¿Cómo quieres que te quiera, si te peinas con saliva?
Esta frase sirve para plantar a un novio que no nos gusta.

Adiós chaparrita linda, cuerpo de tentación y cara de arrepentimiento.
Este requiebro es de algún desairado que quisiera ofender a su dama.

Con la sal que una morena derrama de mala gana, tiene para mantenerse una rubia, una semana.
Aquí el piropeador confiesa su preferencia por las morenas.

Nadie diga que es querido, aunque lo estén adorando; que con el pie en el estribo, muchos se quedan colgando.
Aunque es parte de una canción, nos deja la enseñanza de que no se debe tener seguridad, ni en uno mismo.

Prefiero que sea pelón, que greñudo y mal peinado.
Con esta opinión se trata de justificar al novio calvo.

Ay, el que te puso Aurora, nunca ha visto amanecer.
Se le dice a una joven poco agraciada.

Nunca fuera caballero, por dama tan bien servido.
Aquí se reconoce la gentileza y atención de la anfitriona.

Quisiera ser armadillo para andar con mi Conchita.
Esto lo dice quien tiene una novia que se llama Concepción.

Quisiera dormir con luz, aunque me apaguen la vela.
Cuando ve pasar a una señora que se llama Luz, así le dice un majadero.

Quisiera ser barrigón para andar con mi Panchita.
Esta exclamación es del enamorado, novio de Francisca.

Me gustan grandotas, aunque me peguen.
Así se pronuncia el pueblo, al paso de las mujeres altas.

Gracias por la flor, mañana vengo por la maceta.
A los piropos también se les llama flores, y ésta es la respuesta de una dama jacarandosa.

Sólo que la mar se seque, no me bañaré en sus olas.
Aquí se alude al cadencioso caminar de una fémina.

Día llegará en que mi gusto se cumplirá.
Piropo que más bien semeja ser una amenaza.

EDUCACIÓN

MINISTERIO DE...

Cállate, o te doy tu estate quieto.
Aunque está pasado de moda, es una amenaza para los niños llorones.

La letra con sangre entra.
Este refrán didáctico está totalmente superado.

A Renato, por flojo, le pusieron orejas de burro y le dieron con la regla en la palma de la mano.
Estos preceptos están bien archivados por fortuna.

Hay que consentir a los niños, y dejarlos hacer lo que les dé la gana.
Esto es parte de la educación Montesori, que se va al otro extremo de la educación antigua.

Un hombre sin libros, es como un cuerpo sin alma.
Hace referencia a lo difícil que es ganarse la vida sin educación.

Mire, don Higinio, si la educación es cara, ya verá lo que cuesta la ignorancia.
Obviamente, el no saber es mucho más caro que el conocimiento.

Los hijos son el reflejo de sus padres.
La educación bien entendida, se recibe en la familia.

El que no sabe, es como el que no ve.
Y podríamos agregar que también es como el que no oye y no puede hablar.

La instrucción te hace caballero, y la falta de ella, te convierte en sirviente.
Saber leer y escribir es requisito indispensable para ubicarse en la vida.

Cada muchacho trae su torta.
Ésta es una aseveración para justificar la ignorancia de los niños.

Los patos les tiran a las escopetas.
Así se queja un maestro, a quien corrigen sus alumnos.

La cultura de Asunción, es como la espada de Santa Catarina: deslumbra pero no corta.
Hay quien quiere lucir como culto, con dos o tres frases de cajón.

Ganar uno, gastar dos, no tiene perdón de Dios.
Esta es una forma de educar a los muchachos en el ahorro.

Por no terminar su carrera, Margarito, se quedó en aprendiz de todo y oficial de nada.
Esto es una invitación para que los estudiantes se especialicen.

Qué favor le debo al sol por haberme calentado; si de chico no fui a la escuela y de grande fui soldado.
Esta frase de Pito Pérez, el personaje de José Rubén Romero, reconoce la importancia de la educación en el pueblo.

Nunca muerdas la mano, al que te da de comer.
Este refrán se complementa con el que dice: "No le des patadas al pesebre."

La mentira dura, mientras la verdad aparece.
Esto no es cierto en los casos de los sonados asesinatos políticos que ha habido.

Cría cuervos, Serafina, y te sacarán los ojos.
Así se aconseja a quien trata de educar a hijos ajenos.

El que mucho abarca, poco aprieta.
Este refrán nos sirve para educar a los muchachos ambiciosos y avorazados.

El carnicero de ayer será la res del mañana.
Indica que a quien le falta educación, no sólo no ha de progresar, sino, tal vez, baje más.

Sólo sé, que no sé nada.
Sócrates.

Harto ayuda, el que no estorba.
Se refiere que el que no ayuda es mejor que se vaya y no haga malobra.

Más vale suerte, que fuerza.
Éste dice que es mejor dialogar que someter.

La política es como las posadas. Un grupo adentro y a puerta cerrada frente a otro grupo que estando afuera, llama a la puerta y pide posada.
Aquí la verdad es obvia.

El que con niños se acuesta, mojado amanece.
Se refiere a que no se deben hacer tratos con gentes incapacitadas.

Para salud y alegría, una manzana al día.
Dicha fruta es buena para la salud.

Lo que se ha de pelar. Que se vaya remojando.
Aquí se refiere a que es mejor dar tiempo en los asuntos que se traten.

La caridad bien entendida, empieza por uno mismo.
Este refrán se complementa con el que dice: "El que da todo al que pide, pide al fin, al que no da."

Más vale paso que dure, y no trote que canse.
Se refiere a que hay que trabajar despacio para que salgan las cosas bien.

La mujer es el escaparate del marido.
Según se vista y se porte la esposa, así se considera al cónyuge.

Anselma, nunca digas mi marido, al referirte a tu esposo.
Esposo se dice a quien contrajo una unión legal, y el marido puede ser el que ahora se nombra compañero.

QUEJAS

Doña Eufrosina se fue sin decir ni agua va.
Se lamenta, la anfitriona, de quien ni siquiera le da las gracias por convite.

A mí, no me hables de Roque, porque los pobres ni bulto hacemos.
Ésta es la queja de un hombre que se minusvalúa.

Si tuviera buena memoria, otro gallo me cantara.
Se dice que el ejercicio de la memoria es básico para todo conocimiento.

A Porfirio, mi primo, le aplicaron el 33.
El artículo 33 de la Carta Magna manda a los extranjeros indeseables de regreso a su tierra.

A mi hijo mayor, le leyeron la cartilla.
Así se dice cuando se obliga a alguien a cumplir las reglas del juego.

Chole tuvo insomnio, se pasó la noche en blanco.
Con esta crisis, ya nadie puede dormir.

Ya me da el cuarto por irme de regreso a mi pueblo.
Esta queja debiera ser de todos los que incrementan la población en el Distrito Federal.

Yo visto la changa, para que otro me la baile.
Ésta puede ser la queja de un marido engañado.

Teodosia me mandó a bañar, y tengo gripa.
Así se queja quien no tiene la menor intención de esfumarse.

Felícitas está de visita y yo, aquí esperando, deteniéndole la jeta al burro.
Así se expresa el novio que espera parado en una esquina.

Barbas tienes y con ellas te entretienes.
Se usa para negar un favor a quien está molestando.

Ya nos cayó el chahuistle, Gervasio.
Así se lamenta la dueña de casa cuando llegan gorrones a la hora de la comida.

Mis hijos me tienen harto, hasta la coronilla.
Así gime el padre de niños muy traviesos.

Y qué te crees Andrea, que yo soy hijo de gendarme.
Es de suponerse que con su magro sueldo, el gendarme no puede darle de comer a su hijo.

Cuando yo tenía dinero, me llamaban don Tomás, y ahora que no lo tengo, me llaman Tomás, nomás.
Así se queja quien fue medido por el rasero del interés.

EXPRESIONES POPULARES

Nunca falta un roto para un descosido.
Se refiere a que siempre hay una pareja para cada quien.

¿Mario, quieres que rompamos el turrón?
Se usa para hacer más estrecha la relación.

Rompió con su mujer, amarres y vínculos.
Cuando alguien quema las naves, como Cortés.

Ya llueve sobre mojado.
Es el reconocimiento de que había cometido el mismo error.

¡Papelitos hablan, amigo!
Si no se presenta un documento, no se confía en la palabra.

Le voy a poner un cuatro para quitarle la careta.
Aquí se propone hacer caer a alguien, en su mentira.

Zapatero, a tus zapatos.
Que cada quien se remita a su oficio.

Rosita, pela gallo.
Se dice cuando se recomienda a una persona que se vaya.

Que hable ahora, o calle para siempre.
Frase ritual que pronuncia el sacerdote en los matrimonios.

Piensa mal, y acertarás.
Esta frase se basa en la desconfianza que inspira el mundo.

Mujeres juntas, ni difuntas.
Esta expresión es propia de misóginos.

Quien va despacio, llega lejos.
Frase internacional que recomienda calma.

Todo en esta vida es agujita de plata.
La necesidad de dinero se hace presente a cada momento.

Sabe más, que lo que le enseñaron.
Se dice para quien no quiere usar sus conocimientos.

Le rompieron el hocico por ser un lengua larga.
Se aplica a quien le dan un golpe en la boca.

¡Silencio ranas, que va a predicar el sapo!
Equivale a una expresión machista.

San Cuilmas el Petatero me favorezca.
Sólo es una expresión popular.

Santa Rita, lo que se da, no se quita.
Se dice que lo que se regala no se debe recoger.

Santo que no es visto, no es venerado.
Recomiéndase, que hay que dejarse ver para estar presente.

¡Viste, Ángel me echó ojos de pistola!
Dado que los ojos son el espejo del alma, reflejan el rencor o la envidia cuando las hay.

¡Ya Chole vendió su casa!
Se refiere a cuando una persona aburre, diciendo lo mismo por enésima vez.

¡Y se hizo de mulas Petra!
Cuando una persona se saca la lotería o recibe una herencia, se le critica de esta forma.

Y sigue la mata dando.
Se refiere a una persona buena o mala, que tenga mucha edad, y sigue haciendo de las suyas.

Ay, para tonto no se estudia.
El significado es claro; los tontos no gustan de cultivarse.

Estoy temblando de frío, como perro callejero.
Se presume que los perros callejeros no tienen ni pan ni cobija segura.

Chonita anda triste y sola, como perro sin dueño.
Se refiere a cuando una persona no tiene dolientes, mucho se dice de las personas que no se casan.

Pancho no tiene ni dos dedos de frente.
Se alude al supuesto de que la frente amplia es señal de inteligencia.

Este muchacho es como la piel de judas.
Se aplica a los niños tremendos y molestos.

Son polvos de aquellos lodos.
Consecuencia de viejos pecados.

Esta mujer no tiene ni rey, ni roque, ni respeta a nadie.
Se aplica a una mujer libertina.

Octavio es un intelectual de pega.
Reconoce que el interfecto se cree más de lo que es.

Sus hijas son sus más valiosas joyas.
Dícese que el amor filial es un tesoro.

Le sonaron palmas de tango.
Cuando se escuchan aplausos burlones a ritmo de tango.

Luchita se hizo la remolona cuando le habló amores.
Que fingió renuncia cuando ya estaba convencida.

A María, no la callas, ni con polvorones.
Esto es una crítica para una mujer habladora.

A Manuel, no se le ven espolones de gallo.
Se está prejuzgando el valor de una persona.

Pobre mujer, se le botó la canica.
Se usa cuando alguien se comporta fuera de lo normal.

¿Cómo que se murió? si sólo tenía cien años.
Frase burlona para criticar a un viejo.

Petronila navega con bandera de taruga.
Se refiere a que aparenta no entender ningún asunto.

No te metas en camisa de once varas, Petrusca.
Consejo para que no intervenga en dificultades ajenas.

El que al cielo escupe, a la cara le cae.
Se refiere que el que ofende a sus superiores o a sus mayores, se ofende a sí mismo.

Aquel que no oye consejos, no llega a viejo.
Para alcanzar la senectud es necesario tener presente la educación de los padres.

De tal palo, tal astilla.
Para los hijos que se parecen a los padres (Hijo de tigre, tigrillo). Representa los defectos familiares.

Enrique llegó arrastrando la cobija.
Se refiere a cuando alguien llega muy cansado, o pasado de copas.

La fiesta acabó, como el Rosario de Amozoc.
Se usa para describir una fiesta que terminó en pleito.

La gordura, es hermosura.
Esta expresión pudo haber sido un piropo en tiempo de Rubens.

No hay borracho que coma lumbre.
Indica que los borrachos no siempre dicen toda la verdad.

Le cayó como anillo al dedo.
Cuando el favor se recibe en el momento en que se necesita.

Yo, firme, como las quijadas de arriba.
Se utiliza cuando se reitera la lealtad a un amigo.

El que quiera azul celeste, que le cueste.
Se dice que en esta vida nada es gratis.

Ay, amor, cómo me has ponido, flaco y descolorido.
Es una expresión de queja por las penas que nos da el amor.

Con su amena plática, se la echó a la bolsa.
Se usa para reconocer la simpatía de alguna persona.

Ese matrimonio anda siempre a dimes y diretes.
Se refiere a que cuando el amor se acaba, salen a relucir los defectos y vienen las ofensas.

El papá de Carmelo llegó barriendo parejo.
Quiere decir que el indicado regañó hasta las visitas.

Pomposa salió con su batea de babas.
Se usa para criticar la simpleza de alguna persona.

¿Quién me acompaña a misa? Nadie... me voy sola como María Hermosillo.
Expresión muy usual en Lagos de Moreno, Jalisco, por ser esta persona muy conocida porque siempre andaba sola. Mejor así, que mal acompañada.

Por presumido le sacaron los trapitos al sol.
El que alardea de lo que no tiene se le puede demostrar su pequeñez.

Lo que no sirve, estorba.
Generalmente, lo que está de más, es molesto.

Lo que se ve, no se juzga.
Indica que no se puede criticar lo que es obvio.

Dios los cría, y ellos se juntan.
Generalmente se busca como amigo al que tiene afinidades comunes.

Ahora sí, le salió la criada respondona.
Se usa cuando una persona que debe ser calmada, se violenta.

Mete mentira, y saca verdad.
Se refiere a cuando uno aparenta saber lo que no sabe para enterarse de algún asunto.

Pedro es limosnero y con garrote.
Se aplica cuando alguien pide algo con exigencia.

De las tres hijas de Pantaleón, la más bonita, es Panta.
A la pobre la bautizaron con el nombre de su padre.

Lo que es parejo, no es chipotudo.
Se aplica para tratar a todos iguales.

Trabaja como negra, para vivir como blanca.
Esta expresión se usa para invitar al trabajo a una persona perezosa.

El sol sale para todos.
Dios da oportunidades a todos sus hijos.

Ponciano se retrató de cuerpo entero con sus majaderías.
Se refiere a cuando alguien enseña el cobre, o plumero (frase española).

Eulalio renació de sus propias cenizas, como el Ave Fénix.
Se hace referencia a alguien que se levanta con un golpe de suerte.

A Celia le gusta robar cámara.
Se usa cuando alguien quiere estar presente en todo.

Margarito rompe el orden, creando el desorden.
Se refiere a cuando alguien perturba la armonía.

Josefa le rindió las cuentas del gran capitán.
Tal como lo hacen muchos de nuestros funcionarios.

Parece que no entiendes, pero te voy a refrescar la memoria.
Volver a la realidad al que se hace el desmemoriado.

Hay que hablar en plata, sin artilugios, ni ambages.
Se refiere a la conveniencia de hablar con claridad.

Tenía razones de peso para deçirle lo que te dije.
Se usa cuando el ofendido habla con el ofensor.

Rodando, rodando, las piedras se encuentran.
Reconoce que la vida puede reunir a las personas por lejos que estén.

Quien boca tiene, a Roma llega.
Se dice que el que pregunta, siempre llega a su destino.

Quien bien te quiere, te hará llorar.
Se refiere a los sermones que los padres deben dar a sus hijos.

Te me vas por la sombrita, no vayas a requemarte.
Frase usada para despedirse de una amistad.

¿Qué me miras, acaso tengo monos en la cara?
Desafiadora y ominiosa pregunta.

Al pobre de Pafnuncio, lo quemaron a fuego lento.
Se refiere que el pobre está casado con una fiera.

Quien con la esperanza vive, alegre muere.
Se usa para hacer la vida llevadera.

Quien poco pide, nada merece.
Se recomienda pedir siempre de más.

¡Quien no sabe lo que vale, no vale nada!
Se recomienda estar seguro del valor personal.

Esa mujer todavía respira por la herida.
Cuando alguien está resentido por una ofensa ajena

Una viejita se murió barajando.
Expresión que se usa con frecuencia cuando se juegan cartas.

Nunca dejes camino real, por vereda.
Es un buen consejo para no andar con rodeos.

No hay que meterse en la danza, si no se tiene sonaja.
Se recomienda no dar opiniones sobre lo que no se sabe.

Buena es la libertad, pero no el libertinaje.
Como recomendación, no hay que excederse en la libertad.

Ahora somos, mañana fuimos...
Quiere decir que en este mundo estamos de paso.

Si al hablar no has de alabar, mejor has de callar.
Es más prudente, callar que criticar.

¡No hay suerte!, sino estudio, trabajo y constancia.
Dícese que no hay que dejar las cosas al azar.

No te preocupes mujer ocúpate.
Explica que no hay que llorar la suerte, mejor hay que cambiarla.

La superstición es el precio que el hombre paga por su ignorancia.
Se aplica contra las creencias infundadas.

Don Acacio se fue de picos pardos.
Se dice cuando alguien se va a alguna aventura amorosa.

Si no lo echo, reviento.
Se usa cuando no se controlan las ganas de decir una verdad.

Esto ya valió sombrilla.
Se usa cuando alguna situación no nos gusta.

¿Y a don Queli? ¿Qué le importa?
Se usa para evitar la intervención ajena.

Que le pongan Jorge al niño.
Se usa para afirmar que algo no nos interesa.

Llega tarde, porque se le pega el petate.
Recomienda no flojear en la cama.

Nada de eso trajo el barco.
Se utiliza para negar peticiones.

Lagarto, lagarto, toco madera y pinto mi calavera.
Frase que usa el pueblo a manera de antídoto.

Dices que hablo de ti, y ni te pelo.
Frase que se usa para ningunear a alguien.

Lo que digan, me viene Wilson.
Expresión que se aproxima a la riña.

Vámonos tendidos, como bandidos.
Se usa para acelerar un trabajo o una despedida.

Soy chato, pero las huelo.
Se usa para presumir de ser una persona difícil de engañar.

Que me quiten lo bailado.
Frase para sostenerse en lo antes dicho.

El indio tiene hambre ancestral.
Se refiere a que por generaciones el indígena ha sido explotado.

La economía es la base de la riqueza.
Se trata de una verdad emitida por los economistas.

Es más falsa, Cecilia, que una moneda de cobre.
El cobre es un metal que se presta a falsificaciones.

¿Cómo que se murió, si me debía?
Se dice cuando una noticia nos cae de sorpresa.

No todo lo que brilla es oro.
Aconseja no deslumbrarse con las apariencias.

Aquí, tejones, porque no hay liebres.
Indica que hay que aceptar lo que haya, aunque no sea de nuestro agrado.

No me suenes el maíz, que no soy gallina.
Quiere decir que no me halagues, porque no tendrás éxito.

A Canuto le hicieron de chivo los tamales.
Indica que engañaron al susodicho.

Para frijoles, en mi casa.
Es una crítica anticipada para rechazar una invitación.

Si alguna vez te vi, ya ni me acuerdo.
Esta frase se usa para rechazar a personas indeseables.

Lo del agua, al agua.
Asegura que lo que se consigue fácil, pronto se va.

¡A ver quién le entra al toro!
Reto para probar el valor de los amigos.

Una que se le hace al salado.
Es un reconocimiento àl cambio de suerte en alguna persona.

Un peso, guarda cien.
Recomienda no despreciar las monedas por su poco valor.

Peso feriado, caballo desbocado.
Reconoce, que al cambiar una moneda, facilita gastarla.

¿Qué, mi dinero no vale?
Se usa cuando no aceptan nuestra colaboración.

Cuánto tienes, tanto vales...
Las personas interesadas, te valoran por tu capital, no por tus cualidades.

Este año, me ha ido de los perros.
Se supone que se habla de perros callejeros que son muy maltratados.

No alegues, Pomponio, a otro perro con ese hueso.
Le declara al interfecto, que ya conoce sus mañas.

Carlota le puso las perras a veinticinco a sus sobrinos.
Se dice cuando se pone a alguien en su sitio.

Échate ese trompo a la uña.
Quiere decir que lo que te estoy diciendo, lo tomes como experiencia propia.

Hay mucha gente, a las que les das la mano, y se toman el pie.
Ésta es una voz de alarma contra los abusivos.

A Marcos le dieron con la puerta en las narices.
Hace gala de que lo despidieron o no lo dejaron entrar.

¡Ahora sí, vengo valiente! ¡Échenme al gato!
Se supone que lo que podría decir un ratón, lo dicen los maridos cuando llegan tarde.

Estoy amolado, pero contento.
Esta es una frase de resignación por la situación económica.

Soy el mismo que viste y calza.
Frase para alardear de seguir siendo igual.

A rajarse a su tierra.
Reclamación para que se sostengan en lo dicho.

A ver si como roncas, duermes.
Se puede aplicar a los políticos a ver si lo que dicen en los discursos, lo van a realizar.

Yo soy, el mero, mero, petatero.
Esta frase se complementa con la que dice: "Aquí nomás mis chicharrones truenan."

¡Me cachaste!
Se usa cuando alguien se da cuenta de nuestras intenciones.

¿Qué comes, que adivinas?
Tiene el mismo sentido que la anterior.

Agua de arco, no hace charco.
Indica que la poca lluvia que caiga, después del arco iris, ni siquiera moja.

Nadie sabe para quien trabaja.
En ocasiones nuestros esfuerzos benefician a terceros.

¡Para tu carro, Othón, no hables de más, que te pesará!
Se usa para callar a un hablador.

¡Aguas, que está lloviendo!
Grito de alarma que usan los delincuentes.

Me están llevando los diez mil demonios.
Esto se aplica a un hombre corajudo.

Por defender a Celso, le dieron hasta por debajo de la lengua.
Aquí se recomienda no tomar partido en discusiones ajenas.

Lo quiero, a la malagueña.
Lo usa una mujer descarada que no le importa si el hombre es casado.

Sobre el muerto las coronas.
Frase para acelerar el pago de una deuda.

Vivillo desde chiquillo.
Se recomienda cuidado con algún abusivo.

¿Acaso soy hijo de gendarme?
Se usa para reclamar alguna falta de atención.

No lloro, nomás me acuerdo...
Esta frase se usa para reconocer que los ausentes están en el pensamiento.

Poninas dijo Popocha.
Se usa en el juego para reclamar el pago.

Para muestra, basta un botón.
Indica que con un solo detalle se puede juzgar a una persona.

Le mató el gallo en la mano.
Así se dice cuando alguien no permitió que lo sorprendieran.

Pagando, que es gerundio.
Frase que se usa en el juego.

Te voy a partir la madre.
Frase que se usa en lo mejor de un pleito.

Sebastián se pasó la noche en blanco.
Se supone que por sus problemas no pudo dormir.

Atanasio no canta mal las rancheras.
Se dice de alguien que comete los mismos errores que critica.

El que entra ganando, sale respingando.
Frase que se usa en el juego para tener presente que la suerte es veleidosa.

A Pancho Villa lo clarearon desde lejos. No te vaya a pasar lo mismo.
Dicen que con buena puntería, no importan las distancias.

Uno, dos y tres, te apestan los pies, a queso francés...
Éste es un juego de palabras que usan los niños.

La cabra siempre tira al monte.
Quiere decir que no se pueden erradicar las costumbres del pasado.

Para petacas, las mías.
Éste es un comercial que se usó con malicia para hablar de las caderas de las mujeres.

¡Traigo una... entre pecho y espalda!
Lo mismo se refiere a un problema, que a unas copas.

Catalina me echó la aburridora, pero no le hice caso.
Es una queja para cuando los parientes repiten el mismo regaño.

A darle, que es mole de olla.
Recomienda divertirse mientras se pueda.

Eso es harina de otro costal.
Aquí se rehúye una problemática.

A otro perro con ese hueso.
Es un rechazo para el mentiroso consuetudinario.

Chivo brincado, chivo pagado.
Este dicho se usa en el juego para exigir el pago de una deuda.

Cecilia y Lupe son como uña y mugre.
Se usa para comentar que siempre andan juntas.

Yo siempre soy el mismo que viste y calza.
Está presumiendo de tener buen carácter.

Ay, Chihuahua, cuánto apache y cuánto indio sin huarache.
Se usa cuando se encuentra uno en ambiente no agradable.

¡A lo que te truje, Chencha!
Se dice que no hay que perder el tiempo en lamentaciones inútiles, sino entrar de lleno al trabajo.

No oigo, no oigo, soy de palo, tengo orejas de pescado.
Se usa para rehuir cualquier reprimenda.

No corras, Silvestre, que te tropiezas.
Se recomienda calma en todos los momentos.

Ay, qué feo te ves, Mateo.
Esta expresión se usa cuando alguien es portador de malas noticias.

Se me queman las habas, por llegar a la fiesta.
Dícese de quien está muy ansioso de festejos.

Sólo le doró la píldora.
Con esta expresión, se indica que se llena a alguien de lisonjas sin pensar en cumplir ningún compromiso.

De limón, pa'l corazón, de fresa, para Teresa, y de piña, para la niña.
Señala lo bueno que es poner orden en cualquier asunto.

No llores, chupa tu mango.
Frase que se usa para consolar a alguien de una pena superficial.

Lo que es parejo, no es chipotudo.
Esto es un principio que debería tener la democracia.

Hazte arco, chirrión del diablo.
Esto se usa para calmar a algún político.

Hasta que corté una flor de tu jardín, Eustolia.
Se usa para agradecer un obsequio de alguna persona egoísta.

Zancas de gallo copetón, yo ya me voy.
Frase que se usa para salirse de un juego de cartas.

Al que le pique, que se rasque.
Significa que al que le venga el saco, que se lo ponga.

La suegra, para la nuera, siempre es cosa fina.
Indica que esta relación es difícil, que se debe guisar aparte.

¡A mí no me andes con rodeos!
No es bueno darle vueltas a un asunto.

No se me achicopale, Josefinita.
Quiere decir que no se deprima ni entristezca.

Adentro, que están toreando.
Esto es semejante, al que dice: "A darle, que es mole de olla."

El agua siempre busca su nivel.
Indica que con el paso del tiempo se arregla todo en la vida.

Le dieron a Tita, su café con leche.
Se dice cuando a alguien se le da por su lado.

Defenderé el peso como un perro.
Frase célebre de un gobernante, que quedó como consuelo del amolado pueblo.

Ante la duda, que sea la mujer la viuda.
Por lo que se ve, esta frase es favorita de las damas.

Amadeo es católico de hueso colorado.
Critica al exagerado en religión.

Ya comí, ya bebí, ya no me hallo aquí.
Ésta es la frase favorita de los gorrones.

Favor, con favor se paga.
Esto es cierto, pero se contradice con el que sostiene que favor cantado, es favor pagado.

Por mejoría, mi casa dejaría.
Se dice que cuando los cambios son para bien, hay que acelerarlos.

Ay, que suerte tan chaparra me tocó.
Así dice una muchacha cuando se casa con un pobretón.

Hijo de tigre, pintito.
Se dice que las buenas, o malas acciones, las heredan los hijos.

Mi vecina del ocho, me trae entre ojos.
Esta es una queja cuando se tienen vecinos buscapleitos.

A Benita no le crean, porque es muy soflamera.
Se dice de una persona ponderativa y leguleya.

Según el sapo, es la pedrada.
Se refiere a que dependiendo de la importancia de las personas, es el trato que se les da.

¡Échate ese trompo a la uña!
Así se le plantea un problema serio, a algún amigo.

No fumes más, Eulalia, porque el resultado, en tu salud, lo hallas.
Investigaciones recientes consideran al cigarro una droga mortal.

El mosco de Toluca, no mata, nomás, taranta.
El mosco es una bebida dulce, que en exceso es embriagante.

Sin agraviar lo presente.
Se dice cuando se alaba una persona delante de otra.

Mira, Golfina, lo que sea, que suene.
Se refiere a que lo que ha de ser, que sea de una vez.

Dorotea es tan inteligente, que todas las pesca al vuelo.
Se dice cuando la aludida comprende todo lo que se habla.

ÍNDICE

Esta obra se acabó de imprimir
El día 20 de abril de 1999, en los talleres de

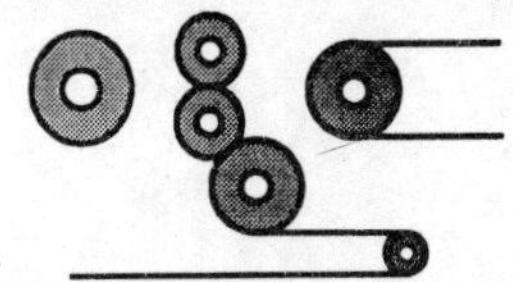

OFFSET UNIVERSAL, S. A.
Calle 2, 113-3, Granjas San Antonio,
09070, México, D. F.

COLECCIÓN "SEPAN CUANTOS..."

128.	ALARCON, Pedro A. de: El Escándalo. Prólogo de Juana de Ontañón.	$ 25.00
134.	ALARCON, Pedro A. de: El niño de la bola. El sombrero de tres picos. El capitán veneno. Notas preliminares de Juana de Ontañón.	30.00
225.	ALAS "Clarín", Leopoldo: La Regenta. Introducción de Jorge Ibargüengoitia.	45.00
449.	ALAS "Clarín", Leopoldo: Cuentos. Pipá. Zurita. Un candidato. El rana. Adiós "Cordera". Cambio de luz. El gallo de Sócrates. El Sombrero del Cura y 35 cuentos más. Prólogo de Guillermo de la Torre.	35.00
572.	ALAS "Clarín", Leopoldo: Su único hijo. Doña Berta. Cuervo. Superchería. Prólogo de Ramón Pérez de Ayala.	25.00
	ALCEO. Véase: Píndaro	
126.	ALCOTT, Louisa M.: Mujercitas. Más cosas de Mujercitas.	30.00
273.	ALCOTT, Louisa M.: Hombrecitos.	25.00
182.	ALEMAN, Mateo: Guzmán de Alfarache. Introducción de Amancio Bolaño e Isla.	35.00
609.	ALENCAR, José Martiniano de: El guaraní. Novela indigenista brasileña.	30.00
	ALFAU DE SOLALINDE, Jesusa. Véase: ARROYO, Anita	
229.	ALFONSO EL SABIO: Antología. Cantigas de Santa María. Cantigas profanas. Primera crónica general. General e grand storia. Espéculo. Las siete partidas. El setenario. Los libros de astronomía. El lapidario. Libros de ajedrez, dados y tablas. Una carta y dos testamentos. Con un estudio preliminar de Margarita Peña y un vocabulario.	30.00
15.	ALIGHIERI, Dante: La Divina Comedia. La vida nueva. Introducción de Francisco Montes de Oca.	30.00
61.	ALTAMIRANO, Ignacio M.: El zarco. La navidad en las montañas. Introducción de María del Carmen Millán.	20.00
62.	ALTAMIRANO, Ignacio M.: Clemencia. Cuentos de invierno. Julia. Antonia. Beatriz. Atenea.	25.00
275.	ALTAMIRANO, Ignacio M.: Paisajes y leyendas. Tradiciones y costumbres de México. Introducción de Jacqueline Covo.	35.00
43.	ALVAR, Manuel: Poesía tradicional de los judíos españoles.	30.00
122.	ALVAR, Manuel: Cantares de Gesta medievales. Cantar de Roncesvalles. Cantar de los siete infantes de Lara. Cantar del cerco de Zamora. Cantar de Rodrigo y el rey Fernando. Cantar de la campana de Huesca.	25.00
151.	ALVAR, Manuel: Antigua poesía española lírica y narrativa. Jarchas. Libro de la infancia y muerte de Jesús. Vida de Santa María Egipciaca. Disputa del alma y el cuerpo. Razón de amor con los denuestos del agua y el vino. Elena y María (disputa del clérigo y el caballero). El planto. ¡Ay Jerusalén! Historia troyana en prosa y verso.	30.00
174.	ALVAR, Manuel: El romancero viejo y tradicional.	35.00
244.	ALVAREZ QUINTERO, Serafín y Joaquín: Malvaloca. Amores y amoríos. Puebla de las mujeres. Doña Clarines. El genio alegre. Prólogo de Ofelia Garza de del Castillo.	25.00
131.	AMADIS DE GAULA. Introducción de Arturo Souto A.	35.00
157.	AMICIS, Edmundo de: Corazón. Diario de un niño. Prólogo de María Elvira Bermúdez.	30.00
505.	AMIEL, Enrique Federico: Fragmentos de un diario íntimo. Prólogo de Bernard Bouvier.	30.00
83.	ANDERSEN, Hans Christian: Cuentos. Prólogo de María Edmée Alvarez.	25.00
	ANDREYEV. Véase: Cuentos Rusos	
636.	ANDREYEV, Leónidas: Los siete ahorcados. Saschka Yegulev. Prólogo de Ettore Lo Gato	35.00
428.	ANONIMO: Aventuras del Pícaro Till Eulenspiegel. WICKRAM, Jorge: El librito del carro. Versión y prólogo de Marianne Oeste de Bopp.	25.00

432.	ANONIMO: Robin Hood. Introducción de Arturo Souto A.	30.00
635.	ANTOLOGIA DE CUENTOS DE MISTERIO Y DE TERROR. Selección e introducción de Ilán Stavans.	40.00
661.	APPENDINI, Guadalupe: Leyendas de provincia.	50.00
674.	APPENDINI, Guadalupe: Refranes populares de México.	50.00
301.	AQUINO, Tomás de: Tratado de la ley. Tratado de la justicia. Opúsculo sobre el gobierno de los príncipes. Traducción y estudio introductivo por Carlos Ignacio González, S. J.	45.00
317.	AQUINO, Tomás de: Suma contra los gentiles. Traducción y estudio introductivo por Carlos Ignacio González, S.J.	60.00
406.	ARCINIEGAS, Guzmán: Biografía del Caribe.	35.00
76.	ARCIPRESTE DE HITA: Libro de buen amor. Versión antigua, con prólogo y versión moderna de Amancio Bolaño e Isla.	30.00
67.	ARISTOFANES: Las once comedias. Versión directa del griego con introducción de Angel María Garibay K.	35.00
70.	ARISTOTELES: Etica Nicomaquea. Política. Versión española e introducción de Antonio Gómez Robledo.	30.00
120.	ARISTOTELES: Metafísica. Estudio introductivo, análisis de los libros y revisión del texto por Francisco Larroyo.	30.00
124.	ARISTOTELES: Tratados de lógica. (El organón). Estudio introductivo, preámbulo a los tratados y notas al texto por Francisco Larroyo.	40.00
82.	ARRANGOIZ, Francisco de Paula: México desde 1808 hasta 1867. Prólogo de Martín Quirarte.	120.00
103.	ARREOLA, Juan José: Lectura en voz alta.	30.00
638.	ARRILLAGA TORRÉNS, Rafael: Grandeza y decadencia de España en el siglo XVI.	35.00
195.	ARROYO, Anita: Razón y pasión de Sor Juana. Refutación a Pfandl. El Barroco en la vida de Sor Juana, por Jesusa Alfau de Solalinde.	30.00
431.	AUSTEN, Jane: Orgullo y prejuicio. Prólogo de Sergio Pitol.	35.00
327.	AUTOS SACRAMENTALES. (El auto sacramental antes de Calderón). LOAS: Dice el sacramento. A un pueblo. Loa del auto de acusación contra el género humano. LOPEZ DE YANGUAS: Farsa sacramental de 1521. Los amores del alma con el príncipe de la luz. Farsa sacramental de la residencia del hombre. Auto de los hierros de Adán. Farsa del sacramento del entendimiento niño. SANCHEZ DE BADAJOZ: Farsa de la iglesia. TIMONEDA: Auto de la oveja perdida. Auto de la fuente de los siete sacramentos. Farsa del sacramento llamado premática del pan. Auto de la fe. LOPE DE VEGA: La adúltera perdonada. La ciega. El pastor lobo y cabaña celestial. VALDIVIELSO: El hospital de los locos. La amistad en el peligro. El peregrino. La Serena de Plasencia. TIRSO DE MOLINA: El colmenero divino. Los hermanos parecidos.Selección, introducción y notas de Ricardo Arias.	35.00
675.	AVITIA HERNANDEZ, Antonio: Corrido histórico mexicano. Tomo I.	50.00
676.	AVITIA HERNANDEZ, Antonio: Corrido histórico mexicano. Tomo II.	50.00
677.	AVITIA HERNÁNDEZ, Antonio: Corrido histórico mexicano. Tomo III.	50.00
678.	AVITIA HERNÁNDEZ, Antonio: Corrido histórico mexicano. Tomo IV.	50.00
679.	AVITIA HERNÁNDEZ, Antonio: Corrido histórico mexicano. Tomo V.	50.00
625.	BABEL, Isaac: Caballería roja. Cuentos de Odesa. Prólogo de Ilán Stavans.	35.00
293.	BACON, Francisco: Instauratio Magna. Novum Organum. Nueva Atlántida. Estudio introductivo y análisis de las obras por Francisco Larroyo.	35.00
649.	BAINVILLE, Jacques: Napoleón. El hombre del mundo por Ralph Waldo Emerson.	50.00
200.	BALBUENA, Bernardo de: La grandeza mexicana y compendio apologético en alabanza de la poesía. Prólogo de Luis Adolfo Domínguez.	25.00
53.	BALMES, Jaime L.: El criterio. Estudio preliminar de Guillermo Díaz-Plaja.	20.00
241.	BALMES, Jaime L.: Filosofía elemental. Estudio preliminar por Raúl Cardiel.	35.00
112.	BALZAC, Honorato de: Eugenia Grandet. La piel de Zapa. Prólogo de Carmen Galindo.	25.00
314.	BALZAC, Honorato de: Papá Goriot. Prólogo de Rafael Solana.	20.00

No.	Obra	Precio
442.	BALZAC, Honorato de: El lirio en el valle. Prólogo de Jaime Torres Bodet.	25.00
580.	BAROJA, Pío: Desde la última vuelta del camino. (Memorias). El escritor según él y según los críticos. Familia. Infancia y juventud. Introducción de Néstor Julán.	40.00
581.	BAROJA, Pío: Desde la última vuelta del camino. (Memorias). Final del siglo XIX y principios del siglo XX. Galería de tipos de la época. 1989.	40.00
582.	BAROJA, Pío: Desde la última vuelta del camino. (Memorias). La intuición y el estilo. Bagatelas de otoño.	40.00
592.	BAROJA, Pío: Las inquietudes de Shanti Andia.	35.00
335.	BARREDA, Gabino: La educación positivista en México. Selección, estudio introductivo y preámbulos por Edmundo Escobar.	40.00
334.	BATALLAS DE LA REVOLUCION Y SUS CORRIDOS. Prólogo y preparación de Daniel Moreno.	25.00
426.	BAUDELAIRE, Carlos: Las flores del mal. Diarios íntimos. Introducción de Arturo Souto Alabarce.	30.00
17.	BECQUER, Gustavo Adolfo: Rimas, leyendas y narraciones. Prólogo de Juana de Ontañón.	30.00
	BENAVENTE. Véase: Teatro Español Contemporáneo	
35.	BERCEO, Gonzalo de: Milagros de Nuestra Señora. Vida de Santo Domingo de Silos. Vida de San Millán de la Cogolla. Vida de Santa Oria. Martirio de San Lorenzo. Prólogo y versión moderna de Amancio Bolaño e Isla.	35.00
491.	BERGSON, Henry: Introducción a la metafísica. La Risa. Filosofía de Bergson por Manuel García Morente.	40.00
590.	BERGSON, Henry: Las dos fuentes de la moral y de la religión. Introducción de John M. Oesterreicher.	40.00
	BERLER, Beatrice. Véase Prescott, William H.	
	BERMUDEZ, Ma. Elvira. Véase: VERNE, Julio	
	BESTEIRO, Julián. Véase: HESSEN, Juan	
500.	BIBLIA DE JERUSALEN. Nueva edición totalmente revisada y aumentada.	230.00
380.	BOCCACCIO: El Decamerón. Prólogo de Francisco Montes de Oca. 8a. edición.	35.00
487.	BOECIO, Severino: La consolación de la filosofía. Prólogo de Gustave Bardy.	25.00
522.	BOISSIER, Gastón: Cicerón y sus Amigos. Estudio de la sociedad Romana del tiempo de César. Prólogo de Augusto Rostagni.	25.00
495.	BOLIVAR, Simón: Escritos políticos. El espíritu de Bolívar por Rufino Blanco y Fombona.	25.00
	BOSCAN, Juan. Véase: VEGA: Garcilaso de la	
278.	BOTURINI BENADUCI, Lorenzo: Idea de una nueva historia general de la América Septentrional. Estudio preliminar por Miguel León-Portilla.	35.00
420.	BRONTE, Carlota: Jane Eyre. Prólogo de Marga Sorensen.	35.00
119.	BRONTE, Emily: Cumbres Borrascosas. Prólogo de Sergio Pitol.	25.00
584.	BRUYERE, LA: Los caracteres. Precedidos de los caracteres de Teofrasto.	30.00
667.	BUCK, PEARL S.- La buena tierra.	40.00
516.	BULWER-LYTTON. Los últimos días de Pompeya. Prólogo de Santiago Galindo.	25.00
441.	BURCKHARDT, Jacob: La Cultura del Renacimiento en Italia. Prólogo de Werner Kaegi.	35.00
606.	BURGOS, Fernando: Antología del cuento hispanoamericano.	60.00
104.	CABALLERO, Fernan: La gaviota. La familia de Alvareda. Prólogo de Salvador Reyes Nevares.	30.00
222.	CALDERON, Fernando: A ninguna de las tres. El torneo. Ana Bolena. Herman o la vuelta del cruzado. Prólogo de María Edmée Alvarez.	25.00
74.	CALDERON DE LA BARCA, Madame: La vida en México. Traducción y prólogo de Felipe Teixidor.	40.00
41.	CALDERON DE LA BARCA, Pedro: La vida es sueño. El alcalde de Zalamea. Prólogo de Guillermo Díaz-Plaja.	25.00

331.	CALDERON DE LA BARCA, Pedro: Autos Sacramentales: La cena del Rey Baltasar. El gran Teatro del Mundo. La hidalga del valle. Lo que va del hombre a Dios. Los encantos de la culpa. El divino Orfeo. Sueños hay que verdad son. La vida es sueño. El día mayor de los días. Selección, introducción y notas de Ricardo Arias.	35.00
	CALVO SOTELO (Véase: Teatro Español Contemporáneo).	
252.	CAMOENS, Luis de: Los Lusiadas. Traducción, prólogo y notas de Ildefonso Manuel Gil.	25.00
329.	CAMPOAMOR, Ramón de: Doloras. Poemas. Introducción de Vicente Gaos.	50.00
668.	CANELLA Y SECADES, Fermín.- Historia de Llanes y su Concejo. 1a. edición. Facsimilar de la edición de 1896.	40.00
435.	CANOVAS DEL CASTILLO, Antonio: La campana de Huesca. Prólogo de Serafín Estébanez Calderón.	25.00
285.	CANTAR DE LOS NIBELUNGOS. Traducción al español e introducción de Marianne Oeste de Bopp.	30.00
279.	CANTAR DE ROLDAN, EL. Versión de Felipe Teixidor.	20.00
624.	CAPELLAN, Andrés El: Tratado del amor cortés. Traducción, introducción y notas de Ricardo Arías y Arías.	35.00
640.	CARBALLO, Emmanuel.- Protagonistas de la literatura mexicana. José Vasconcelos. Genaro Martínez McGregor. Martín Luis Guzmán. Julio Torri. Alfonso Reyes. Artemio de Valle-Arizpe. Julio Jiménez Rueda. Octavio G. Barreda. Carlos Pellicer. José Gorostiza. Jaime Torres Bodet. Salvador Novo. Rafael F. Muñoz. Agustín Yáñez. Mauricio Magdaleno. Nellie Campobello. Ramón Rubín. Juan Rulfo. Juan José Arreola. Elena Garro. Rosario Castellanos. Carlos Fuentes.	65.00
307.	CARLYLE, Tomás: Los Héroes. El culto a los héroes y lo heroico de la historia. Estudio preliminar de Raúl Cardiel Reyes.	25.00
215.	CARROLL, Lewis: Alicia en el país de las maravillas. Al otro lado del espejo. Ilustrado con grabados de John Tenniel. Prólogo de Sergio Pitol.	35.00
57.	CASAS, Fr. Bartolomé de las: Los Indios de México y Nueva España. Antología. Edición, prólogo, apéndices y notas de Edmundo O'Gormann. Con la colaboración de Jorge Alberto Manrique.	30.00
318.	CASIDAS DE AMOR PROFANO Y MISTICO. Ibn Zaydum. Ibn Arabi. Estudio y traducción de Vicente Cantarino.	25.00
223.	CASONA, Alejandro: Flor de leyendas. La sirena varada. La dama del alba. La barca sin pescador. Prólogo de Antonio Magaña Esquivel.	25.00
249.	CASONA, Alejandro: Otra vez el diablo. Nuestra Natacha. Prohibido suicidarse en primavera. Los arboles mueren de pie. Prólogo de Antonio Magaña Esquivel.	30.00
357.	CASTELAR, Emilio: Discursos. Recuerdos de Italia. Ensayos. Selección e introducción de Arturo Souto A.	25.00
372.	CASTRO, Américo: La realidad histórica de España.	50.00
268.	CASTRO, Guillén de: Las mocedades del Cid. Prólogo de María Edmée Alvarez.	25.00
643.	CELLINI, Benvenuto: Autobiografía. Prólogo de Manuel Ramírez.	50.00
25.	CERVANTES DE SALAZAR, Francisco: México en 1554 y Túmulo Imperial. Edición, prólogo y notas de Edmundo O'Gorman.	30.00
6.	CERVANTES SAAVEDRA, Miguel de: El ingenioso hidalgo Don Quijote de la Mancha. Prólogo y esquema biográfico por Américo Castro.	40.00
9.	CERVANTES SAAVEDRA, Miguel de: Novelas ejemplares. Comentario de Sergio Fernández.	35.00
98.	CERVANTES SAAVEDRA, Miguel de: Entremeses. Introducción de Arturo Souto A.	20.00
422.	CERVANTES SAAVEDRA, Miguel de: Los trabajos de Persiles y Segismunda. Prólogo de Mauricio Serrahima.	25.00
578.	CERVANTES SAAVEDRA, Miguel de: Don Quijote de la Mancha. Edición abreviada. Introducción de Arturo Uslar Pietri.	25.00
20.	CESAR, Cayo Julio: Comentarios de la guerra de las Galias y Guerra Civil. Prólogo de Xavier Tavera.	25.00

320. CETINA, Gutierre de: Obras. Introducción de D. Joaquín Hazañas y la Rúa. Presentación de Margarita Peña. 55.00

230. CICERON: Los oficios o los deberes. De la vejez. De la amistad. Prólogo de Joaquín Antonio Peñalosa. 35.00

234. CICERON: Tratado de la República. Tratado de las leyes Catilinarias. 25.00

CID: Véase: Poema de Mio Cid

137. CIEN MEJORES POESIAS LIRICAS DE LA LENGUA CASTELLANA, LAS. Selección y advertencia preliminar de Marcelino Menéndez Pelayo. 25.00

29. CLAVIJERO, Francisco Javier: Historia antigua de México. Edición y prólogo de Mariano Cuevas. 40.00

143. CLAVIJERO, Francisco Javier: Historia de la Antigua o Baja California. PALOU, Fr. Francisco: Vida de Fr. Junípero Serra y Misiones de la California Septentrional. Estudios preliminares de Miguel León-Portilla. 45.00

60. COLOMA, P. Luis: Boy. Prólogo de Joaquín Antonio Peñalosa. 20.00

91. COLOMA, P. Luis: Pequeñeces. Jeromín. Prólogo de Joaquín Antonio Peñalosa. 25.00

167. COMENIO, Juan Amós: Didáctica Magna. Prólogo de Gabriel de la Mora. 30.00

340. COMTE, Augusto: La filosofía positiva. Proemio, estudio introductivo, selección y un análisis de los textos por Francisco Larroyo. 30.00

7. CORTES, Hernán: Cartas de relación. Nota preliminar de Manuel Alcalá. Ilustraciones. Un mapa plegado. 25.00

313. CORTINA, Martín: Un rosillo inmortal. (Leyendas de los llanos). Un tlacuache vagabundo. Maravillas de Altepepan (leyendas mexicanas). Introducción de Andrés Henestrosa. 35.00

181. COULANGES, Fustel de: La ciudad antigua. (Estudio sobre el culto. El derecho y las instituciones de Grecia y Roma). Estudio preliminar de Daniel Moreno. 35.00

662. CRONIN, A.J.: Las llaves del reino. 40.00

663. CRONIN, A. J.: La ciudadela. 40.00

100. CRUZ, Sor Juana Inés de la: Obras completas. Prólogo de Francisco Monterde. 80.00

121. CUENTOS DE GRIMM. Prólogo y selección de María Edmée Alvarez. 30.00

342. CUENTOS RUSOS: Gógol. Turguéñev. Dostoievski. Tolstoi. Garín. Chéjov. Gorki. Andréiev. Kuprín. Artsibáshchev. Dímov. Tasin. Surguchov. Korolenko. Gonchárov. Sholojov. Introducción de Rosa Ma. Phillips. 30.00

256. CUYAS ARMENGOL, Arturo: Hace falta un muchacho. Libro de orientación en la vida para los adolescentes. Ilustrada por Juez. 30.00

382. CHATEAUBRIAND, René: El genio del cristianismo. Introducción de Arturo Sotuo A. 40.00

524. CHATEAUBRIAND, René: Atala. René. El último Abencerraje. Páginas autobiográficas. Prólogo de Armando Rangel. 25.00

623. CHAUCER, Geoffrey: Cuentos de Canterbury. Prólogo de Raymond Las Vergnas. 35.00

148. CHAVEZ, Ezequiel A.: Sor Juana Inés de la Cruz. Ensayo de psicología y de estimación del sentido de su vida para la historia de la cultura y de la formación de México. 30.00

CHEJOV, Antón: Véase: Cuentos Rusos

411. CHEJOV, Antón: Cuentos escogidos. Prólogo de Sommerset Maugham. 30.00

454. CHEJOV, Antón: Teatro: La gaviota. Tío Vania. Las tres hermanas. El jardín de los cerezos. Prólogo de Máximo Gorki. 30.00

633. CHEJOV, Antón: Novelas cortas. Mi vida. La sala número seis. En el barranco. Campesinos. Un asesino. Una historia aburrida. Prólogo de Marc Slonim. 40.00

478. CHESTERTON, Gilbert K.: Ensayos. Prólogo de Hilario Belloc. 30.00

490. CHESTERTON, Gilbert K.: Ortodoxia. El hombre eterno. Prólogo de Augusto Assia. 40.00

42. DARIO, Rubén: Azul... El salmo de la pluma. Cantos de vida y esperanza. Otros poemas. Edición de Antonio Oliver. 25.00

385. DARWIN, Carlos: El origen de las especies. Introducción de Richard W. Leakey. 40.00

377	DAUDET, Alfonso. Tartarín de Tarascón. Tartarín en los alpes. Port-Tarascón. Prólogo de Juan Antonio Guerrero	25.00
140.	DEFOE, Daniel: Aventuras de Robinson Crusoe. Prólogo de Salvador Reyes Nevares.	20.00
154.	DELGADO, Rafael: La calandria. Prólogo de Salvador Cruz.	25.00
280.	DEMOSTENES: Discursos. Estudio preliminar de Francisco Montes de Oca.	30.00
177.	DESCARTES: Discurso del método. Meditaciones metafísicas. Reglas para la dirección del espíritu. Principios de la filosofía. Estudio introductivo, análisis de las obras y notas al texto por Francisco Larroyo.	30.00
604.	DIAZ COVARRUBIAS, Juan: Gil Gómez el Insurgente o la hija del médico. Apuntes biográficos de Antonio Carrión. Los mártires de Tacubaya por Juan A. Mateos e Ignacio M. Altamirano.	35.00
5.	DIAZ DEL CASTILLO, Bernal: Historia verdadera de la conquista de la Nueva España. Introducción y notas de Joaquín Ramírez Cabañas.	40.00
127.	DICKENS, Carlos: David Copperfield. Introducción de Sergio Pitol.	40.00
310.	DICKENS, Carlos: Canción de Navidad. El grillo del hogar. Historia de dos ciudades. Estudio preliminar de María Edmée Alvarez.	25.00
362.	DICKENS, Carlos: Oliver Twist. Prólogo de Rafael Solana.	35.00
648.	DICKENS, Carlos: Almacen de antigüedades. Prólogo de Juan Diego Mayoux.	40.00
	DIMOV. Véase: Cuentos Rusos	
28.	DON JUAN MANUEL: El Conde Lucanor. Versión antigua y moderna e introducción de Amancio Bolaño e Isla.	25.00
	DOSTOIEVSKI, Fedor M.: Véase: Cuentos Rusos	
84.	DOSTOIEVSKI, Fedor M.: El Príncipe idiota. El sepulcro de los vivos. Notas preliminares de Rosa María Phillips.	30.00
106.	DOSTOIEVSKI, Fedor M.: Los hermanos Karamazov. Prólogo de Rosa María Phillips.	45.00
108.	DOSTOIEVSKI, Fedor M.: Crimen y castigo. Introducción de Rosa María Phillips.	35.00
259.	DOSTOIEVSKI, Fedor M.: Las noches blancas. El jugador. Un ladrón honrado. Prólogo de Rosa María Phillips.	25.00
341.	DOYLE, Conan Arthur: Aventuras de Sherlock Holmes: Un crimen extraño. El intérprete griego. Triunfos de Sherlock Holmes: Los tres estudiantes. El mendigo de la cicatriz. K.K.K. La muerte del coronel. Un protector original. El novio de Miss Sutherland. Las aventuras de una ciclista. El misterio de Boscombe. Policía fina. El casado sin mujer. La diadema de Berilos. El carbuncio azul. "Silver Blaze". Un empleo extraño. El ritual de los Musgrave. El "Gloria Scott". El documento robado. Prólogo de María Elvira Bermúdez.	35.00
343.	DOYLE, Conan Arthur: Aventuras de Sherlock Holmes: El perro de Baskerville. La marca de los cuatro. El pulgar del ingeniero. La banda moteada. Nuevos triunfos de Sherlock Holmes: El ingenio de Napoleón. El campeón de "Foot-Ball". El cordón de la campanilla. Los Cunningham's. Las dos manchas de sangre.	40.00
345.	DOYLE, Conan Arthur: Aventuras de Sherlock Holmes: La resurrección de Sherlock Holmes: Nuevas y últimas aventuras de Sherlock Holmes. La caja de laca. El embudo de cuero, etc.	30.00
73.	DUMAS, Alejandro: Los tres mosqueteros. Prólogo de Salvador Reyes Nevares.	35.00
75.	DUMAS, Alejandro: Veinte años después.	35.00
346.	DUMAS, Alejandro: El Conde de Monte-Cristo. Prólogo de Mauricio González de la Garza.	50.00
364–65.	DUMAS, Alejandro: El Vizconde de Bragelonne. 2 Tomos.	100.00
407.	DUMAS, Alejandro: El paje del Duque de Saboya.	30.00
415.	DUMAS, Alejandro: Los cuarenta y cinco.	30.00
452.	DUMAS, Alejandro: La dama de Monsoreau.	30.00
502.	DUMAS, Alejandro: La Reina Margarita.	30.00
504.	DUMAS, Alejandro: La mano del muerto.	30.00
601.	DUMAS, Alejandro: Mil y un fantasmas. Traducción de Luisa Sofovich.	30.00
349.	DUMAS, Alejandro (hijo): La dama de las Camelias. Introducción de Arturo Souto A.	20.00

309.	ECA DE QUIROZ: El misterio de la carretera de Cintra. La ilustre casa de Rmíres. Prólogo de Monserrat Alfau.	30.00
444.	ECKERMANN: Conversaciones con Goethe. Introducción de Rudolf K. Goldschmith Jentner.	35.00
596.	EMERSON, Ralph Waldo: Ensayos. Prólogo de Edward Tinker.	30.00
283.	EPICTETO: Manual y máximas. MARCO AURELIO: Soliloquios. Estudio preliminar de Francisco Montes de Oca.	35.00
99.	ERCILLA, Alonso de: La Araucana. Prólogo de Ofelia Garza de del Castillo.	40.00
	ESOPO: Véase: Fábulas	
695.	ESCUDERO, Angel: El duelo en México. Prólogo de D. Artemio de Valle-Arizpe.	60.00
233.	ESPINEL, Vicente: Vida de Marcos Obregón. Prólogo de Juan Pérez de Guzmán.	25.00
202.	ESPRONCEDA, José de. Obras poéticas. El pelayo, Poesías líricas. El estudiante de Salamanca. El diablo mundo. Prólogo de Juana de Ontañón.	25.00
11.	ESQUILO: Las siete tragedias. Versión directa del griego, con una introducción de Angel María Garibay K.	25.00
24.	EURIPIDES: Las diecinueve tragedias. Versión directa del griego, con una introducción de Angel María Garibay K.	35.00
602.	EVANGELIOS APÓCRIFOS. Introducción de Daniel Rops.	35.00
16.	FABULAS. (Pensador mexicano, Rosas Moreno, La Fontaine, Samaniego Iriarte, Esopo, Fedro, etc.). Selección y notas de María de Pina.	35.00
	FEDRO. Véase: Fábulas	
593.	FEIJOO, Benito Jerónimo: Obras escogidas. Introducción de Arturo Souto A.	35.00
387.	FENELON: Aventuras de Telémaco. Introducción de Jeanne Renée Becker.	30.00
503.	FERNANDEZ DE AVELLANEDA, Alonso: El ingenioso hidalgo Don Quijote de la Mancha. Que contiene su tercera salida y que es la quinta parte de sus aventuras. Prólogo de Marcelino Menéndez Pelayo.	30.00
1.	FERNANDEZ DE LIZARDI, José Joaquín: El Periquillo sarniento. Prólogo de J. Rea Spell.	35.00
71.	FERNANDEZ DE LIZARDI, José Joaquín: La Quijotita y su prima. Introducción de María del Carmen Ruiz Castañeda.	25.00
173.	FERNANDEZ DE MORATIN, Leandro: El sí de las niñas. La comedia nueva o el café. La derrota de los pedantes. Lección poética. Prólogo de Manuel de Ezcurdia.	30.00
521.	FERNANDEZ DE NAVARRETE, Martín: Viajes de Colón.	35.00
211.	FERRO GAY, Federico: Breve historia de la literatura italiana.	40.00
512.	FEVAL, Paul: El jorobado o Enrique de Lagardere.	30.00
641.	FICHTE, Johann Gottlieb: El destino del hombre. Introducciones a la teoría de la ciencia. Prólogo de Federico Jodl.	40.00
	FILOSTRATO. Véase: LAERCIO, Diógenes	
352.	FLAUBERT, Gustavo: Madame Bovary. Costumbres de provincia. Prólogo de José Arenas.	35.00
	FRANCE, Anatole: Véase: Rabelais	
375.	FRANCE, Anatole: El crimen de un académico. La azucena roja. Tais. Prólogo de Rafael Solana.	40.00
399.	FRANCE, Anatole: Los dioses tienen sed. La rebelión de los ángeles. Prólogo de Pierre Josserand.	35.00
654.	FRANK, Ana. Diario. Prólogo de Daniel Rops.	35.00
391.	FRANKLIN, Benjamín Autobiografía y otros escritos. Prólogo de Arturo Uslar Pietri.	30.00
92.	FRIAS, Heriberto: Tomóchic. Prólogo y notas de James W. Brown.	20.00
494.	FRIAS, Heriberto: Leyendas históricas mexicanas y otros relatos. Prólogo de Antonio Saborit.	35.00
534.	FRIAS, Heriberto: Episodios militares mexicanos. Principales campañas, jornadas, batallas, combates y actos heróicos que ilustran la historia del ejército nacional desde la Independencia hasta el triunfo definitivo de la República.	30.00

670. FUENTES DÍAZ, Vicente: Valentín Gómez Farías — Santos Degollado. 70.00

608. FURMANOV, Dimitri: Chapáev. Prólogo de Dionisio Rosales. 40.00

354. GABRIEL Y GALAN, José María: Obras completas. Introducción de Arturo Souto A. 35.00

311. GALVAN, Manuel de J.: Enriquillo. Leyenda histórica dominicana (1503-1533). Con un estudio de Concha Meléndez. 30.00

305. GALLEGOS, Rómulo: Doña bárbara. Prólogo de Ignacio Díaz Ruiz. 30.00

368. GAMIO, Manuel: Forjando patria. Prólogo de Justino Fernández. 25.00

680. GARCIA ICAZBALCETA, Joaquín.- BIOGRAFIAS: Atahualpa. Batolomé Colón. Pedro Córdoba. Núñez de Balboa. Doña Marina. Los Alvarado Díaz del Castillo. Alonso de Molina. Sahagún. Revillagigedo. Boturini. Abad y Queipo... ESTUDIOS: Historiadores de México. Introducción de la imprenta. Los médicos del siglo XVI. La industria de la seda. Autos de fe. Introducción de Manuel Guillermo Martínez. 60.00

251. GARCIA LORCA, Federico: Libro de poemas. Poema del Canto Jondo. Romancero Gitano. Poeta en Nueva York. Odas. Llanto por Sánchez Mejías. Bodas de Sangre. Yerma. Prólogo de Salvador Novo. 25.00

255. GARCIA LORCA, Federico: Mariana Pineda. La zapatera prodigiosa. Así que pasen cien años. Doña Rosita la soltera. La casa de Bernarda Alba. Primeras canciones. Canciones. Prólogo de Salvador Novo. 35.00

164. GARCIA MORENTE, Manuel: Lecciones preliminares de filosofía. 25.00

621. GARCIA MORENTE, Manuel: Estudios y ensayos. Prólogo de Luis Aguirre Pardo. 35.00

GARCILASO DE LA VEGA. Véase: VEGA, Garcilaso de la

22. GARIBAY K., Angel María: Panorama literario de los pueblos nahuas. 25.00

31. GARIBAY K., Angel María: Mitología griega. Dioses y héroes. 30.00

626. GARIBAY K., Angel María: Historia de la literatura Náhuatl. Prólogo por Miguel León-Portilla. 65.00

GARIN. Véase: Cuentos Rusos

373. GAY, José Antonio: Historia de Oaxaca. Prólogo de Pedro Vázquez Colmenares. 45.00

433. GIL Y CARRASCO, Enrique: El señor de Bembibre. El lago de Carucedo. Artículos de costumbres. Prólogo de Arturo Souto A. 25.00

21. GOETHE, J. W.: Fausto. Werther. Introducción de Francisco Montes de Oca. 25.00

400. GOETHE, J. W.: De mi vida. Poesía y verdad. Prólogo de Ernst Robert Curtius. 50.00

132. GOGOL, Nikolai V.: Las almas muertas. La tercera orden de San Vladimiro. (Fragmentos de comedia inconclusa). Prólogo de Rosa María Phillips. 30.00

457. GOGOL, Nikolai V.: Taras Bulba. Relatos de Mirgorod. Prólogo de Emilia Pardo Bazán. 25.00

627. GOGOL, Nikolai V: Novelas breves petersburguesas. Diario de un loco. La nariz. El copete. El retrato. El carruaje. La perspectiva Nevski. Prólogo de Pablo Schostakovski. 35.00

GOGOL, Nikolai V. Véase: Cuentos Rusos

GOMEZ ROBLEDO (Véase: Maquiavelo).

461. GOMEZ ROBLEDO, Antonio: El magisterio filosófico y jurídico de Alonso de la Veracruz. Con una antología de textos. 25.00

GONCHAROV. Véase: Cuentos Rusos

262. GONGORA: Poesías. Romances. Letrillas. Redondillas. Décimas. Sonetos atribuidos. Poemas. Soledades. Polifemo y Galatea. Panegírico. Poesías sueltas. Prólogo de Anita Arroyo. 35.00

568. GONZALEZ OBREGON, Luis: Las calles de México. Leyendas y sucedidos. Vida y costumbres de otros tiempos. Prólogo de Carlos G. Peña y Luis G. Urbina. 30.00

44. GONZALEZ PEÑA, Carlos: Historia de la literatura mexicana. (Desde los orígenes hasta nuestros días). 30.00

254. GORKI, Máximo: La madre. Mis confesiones. Prólogo de Rosa María Phillips. 25.00

397. GORKI, Maximo: Mi infancia. Por el mundo. Mis universidades. Prólogo de Marc Slonim. 35.00

118. GOYTORTUA SANTOS, Jesús: Pensativa. Premio "Lanz Duret" 1944. 30.00

315. GRACIAN, Baltasar: El discreto. El criticón. El héroe. Introducción de Isabel C. Tarán. 40.00

693. GREEN, Graham.- El poder y la gloria. Caminos sin ley. 70.00

GUILLEN DE NICOLAU, Palma. Véase: MISTRAL, Gabriela

169. GÜIRALDES, Ricardo: Don segundo sombra. Prólogo de María Edmée Alavrez. 30.00

GUITTON, Jean. Véase: SERTILANGES, A. D.

19. GUTIERREZ NAJERA, Manuel: Cuentos y cuaresmas del Duque Job. Cuentos frágiles. Cuentos de color de humo. Primeros cuentos. Ultimos cuentos. Prólogo y capítulo de novelas. Edición e introducción de Francisco Monterde. 35.00

438. GUZMAN, Martín Luis: Memorias de Pancho Villa. 68.00

508. HAGGARD, Henry Rider: Las minas del Rey Salomón. Introducción de Allan Quatermain. 35.00

396. HAMSUN, Knut: Hambre. Pan. Prólogo de Antonio Espina. 30.00

631. HAWTHORNE, Nathaniel: La letra escarlata. Prólogo de Ludwig Lewisohn. 35.00

484. HEBREO, León: Diálogos de Amor. Traducción de Garcilaso de la Vega, El Inca. 30.00

187. HEGEL: Enciclopedia de las ciencias filosóficas. Estudio introductivo y análisis de la obra por Francisco Larroyo. 35.00

429. HEINE, Enrique: Libro de los cantares. Prosa escogida. Prólogo de Marcelino Menéndez Pelayo. 25.00

599. HEINE, Enrique: Alemania. Cuadros de viaje. Prólogo de Maxime Alexandre. 35.00

HENRIQUEZ UREÑA, Pedro. Véase: URBINA, Luis G.

688. HEMINGWAY, Ernest: EL viejo y el mar. Las nieves del Kilimanyaro. La vida breve y feliz de Francis Macomber. 30.00

271. HEREDIA, José María: Poesías completas. Estudio preliminar de Raimundo Lazo. 25.00

216. HERNANDEZ, José: Martín Fierro. Estudio preliminar por Raimundo Lazo. 20.00

176. HERODOTO: Los nueve libros de la historia. Introducción de Edmundo O'Gorman. 50.00

323. HERRERA Y REISSIG, Julio: Poesías. Introducción de Ana Victoria Mondada. 25.00

206. HESIODO: Teogonía. Los trabajos y los días. El escudo de Heracles. Idilios de Bión. Idilios de Mosco. Himnos órficos. Prólogo de Manuel Villálaz. 20.00

607. HESSE, Hermann: El lobo estepario. Relatos autobiográficos. Prólogo de F. Martini. 35.00

630. HESSE, Hermann: Demian. Siddhartha. Prólogo de Ernest Robert Curtis. 30.00

686. HESSE, Hermann: Bajo la rueda. Klein y Wagner. El último verano de Klingsor. Herman Hesse una autobiografía. 40.00

351. HESSEN, Juan: Teoría del conocimiento. MESSER, Augusto: Realismo crítico. BESTEIRO, Julian: Los juicios sintéticos "A priori". Preliminar y estudio introductivo por Francisco Larroyo. 30.00

156. HOFFMAN, E. T. G.: Cuentos. Prólogo de Rosa María Phillips. 30.00

2. HOMERO: La Ilíada. Traducción de Luis Segala y Estalella. Prólogo de Alfonso Reyes. 30.00

4. HOMERO: La Odisea. Traducción de Luis Segala y Estalella. Prólogo de Manuel Alcalá. 25.00

240. HORACIO: Odas y épodos. Satiras. Epístolas. Arte poética. Estudio preliminar de Francisco Montes de Oca. 30.00

77. HUGO, Víctor: Los miserables. Nota preliminar de Javier Peñalosa. 80.00

294. HUGO, Víctor: Nuestra Señora de París. Introducción de Arturo Souto A. 35.00

586. HUGO, Víctor: Noventa y tres. Prólogo de Marcel Aymé. 30.00

274. HUGON, Eduardo: Las veinticuatro tesis tomistas. Incluye, además Encíclica Aeterni Patris, de León XIII. Motu Propio Doctoris Angelici, de Pio X Motu Propio non multo post. De Benedicto XV. Encíclica Studiorum Ducem, de Pio XI. Análisis de la obra precedida de un estudio sobre los orígenes y desenvolvimiento de la Neoescolástica, por Francisco Larroyo. 30.00

HUIZINGA, Johan. Véase: ROTTERDAM, Erasmo de

39. HUMBOLDT, Alejandro de: Ensayo político sobre el reino de la Nueva España. Estudio preliminar, cotejos, notas y anexos de Juan A. Ortega y Medina. 90.00

326.	HUME, David: Tratado de la naturaleza humana. Ensayo para introducir el método del razonamiento humano en los asuntos morales. Estudio introductivo y análisis de la obra por Francisco Larroyo.	40.00
587.	HUXLEY, Aldous: Un mundo feliz. Retorno a un mundo feliz. Prólogo de Theodor W. Adorno.	35.00
78.	IBARGÜENGOITIA, Antonio: Filosofía mexicana. En sus hombres y en sus textos.	35.00
348.	IBARGÜENGOITIA CHICO, Antonio: Suma filosófica mexicana. (Resumen de historia de la filosofía en México).	30.00
303.	IBSEN, Enrique: Peer Gynt. Casa de muñecas. Espectros. Un enemigo del pueblo. El pato silvestre. Juan Gabriel Borkman. Versión y prólogo de Ana Victoria Mondada.	30.00
47.	IGLESIAS, José María: Revistas históricas sobre la intervención francesa en México. Introducción e índice de materias de Martín Quirarte.	70.00
682.	IGUINIZ, Juan B.- El libro. Epítome de bibliogía.	40.00
63.	INCLAN, Luis G.: Astucia. El jefe de los hermanos de la hoja o los charros contrabandistas de la rama. Prólogo de Salvador Novo.	45.00
207.	INDIA LITERARIA, LA. Mahabarata. Bagavad Gita. Los vedas. Leyes de Manú. Poesía. Teatro. Cuentos. Apología y leyendas. Antología, introducciones históricas, notas y un vocabulario del hinduismo por Teresa E. Rohde.	30.00
270.	INGENIEROS, José: El hombre mediocre. Introducción de Raúl Carrancá y Rivas.	25.00
	IRIARTE. Véase: Fábulas	
79.	IRVING, Washington: Cuentos de la Alhambra. Introducción de Ofelia Garza de del Castillo.	25.00
46.	ISAACS, Jorge: María. Introducción de Daniel Moreno.	25.00
245.	JENOFONTE: La expedición de los diez mil. Recuerdos de Sócrates. El banquete. Apología de Sócrates. Estudio preliminar de Francisco Montes de Oca.	25.00
66.	JIMENEZ, Juan Ramón: Platero y yo. Trescientos poemas (1903-1953).	25.00
374.	JOSEFO, Flavio: La guerra de los judíos. Prólogo de Salvador Marichalar.	40.00
448.	JOVELLANOS, Gaspar Melchor de: Obras históricas. Sobre la legislación y la historia. Discursos sobre la geografía y la historia. Sobre los espectáculos y diversiones públicas. Descripción del Castillo de Bellver. Disciplina eclesiástica sobre sepulturas. Edición y notas de Elvira Martínez.	35.00
23.	JOYAS DE LA AMISTAD ENGARZADAS EN UNA ANTOLOGIA. Selección y nota preliminar de Salvador Novo.	30.00
390.	JOYCE, James: Retrato del artista adolescente. Gente de Dublín. Prólogo de Antonio Marichalar.	25.00
467.	KAFKA, Franz: La metamorfosis. El proceso. Prólogo de Milán Kundera.	25.00
486.	KAFKA, Franz: El castillo. La condena. La gran Muralla China. Introducción de Theodor W. Adorno.	25.00
656.	KAFKA, Franz. Carta al padre y otros relatos. Prólogo de José María Alfaro.	35.00
203.	KANT, Manuel: Crítica de la razón pura. Estudio introductivo y análisis de la obra por Francisco Larroyo.	40.00
212.	KANT, Manuel: Fundamentación de la metafísica de las costumbres. Crítica de la razón práctica. La paz perpetua. Estudio introductivo y análisis de las obras por Francisco Larroyo.	35.00
246.	KANT, Manuel: Prolegómenos a toda metafísica del porvenir. Observaciones sobre el sentimiento de lo bello y lo sublime. Crítica del juicio. Estudio preliminar de las obras por Francisco Larroyo.	35.00
30.	KEMPIS, Tomás de: Imitación de Cristo. Introducción de Francisco Montes de Oca.	25.00
204.	KIPLING, Rudyard: El libro de las tierras vírgenes. Introducción de Arturo Souto Alabarce.	30.00
545.	KOROLENKO, Vladimir G.: El sueño de Makar. Malas compañías. El clamor del bosque. El músico ciego y otros relatos. Introducción por A. Jrabrovitski.	25.00
	KOROLENKO: Véase: Cuentos Rusos	
637.	KRUIF, Paul de: Los cazadores de microbios. Introducción de Irene E. Motts.	35.00
598.	KUPRIN, Alejandro: El desafío. Introducción de Ettore lo Gatto.	30.00

KUPRIN: Véase: Cuentos Rusos

427. LAERCIO, Diógenes: Vidas de los filósofos más ilustres. FILOSTRATO: Vidas de los sofistas. traducciones y prólogos de José OrtízSanz y José M. Riaño. 40.00

LAERCIO, Diógenes. Véase: LUCRECIO CARO, Tito

LAFONTAINE. Véase: Fábulas.

520. LAFRAGUA, José María y OROZCO Y BERRA, Manuel: La ciudad de México. Prólogo de Ernesto de la Torre Villar. Con la colaboración de Ramiro Navarro de Anda. 50.00

155. LAGERLOFF, Selma: El maravilloso viaje de Nils Holgersson. Introducción de Palma Guillén de Nicolau. 30.00

549. LAGERLOFF, Selma: El carretero de la muerte. El esclavo de su finca y otras narraciones. Prólogo de Agustín Loera y Chávez. 35.00

272. LAMARTINE, Alfonso de: Graziella. Rafael. Estudio preliminar de Daniel Moreno. 25.00

93. LARRA, Mariano José de. "Fígaro": Artículos. Prólogo de Juana de Ontañón. 40.00

459. LARRA, Mariano José de. "Fígaro": El doncel de Don Enrique. El doliente. Macías. Prólogo de Arturo Souto A. 30.00

333. LARROYO, Francisco: La filosofía Iberoamericana. Historia, formas, temas, polémica, realizaciones. 35.00

34. Lazarillo de Tormes, El. (Autor desconocido). Vida del buscón Don Pablos de FRANCISCO DE QUEVEDO. Estudio preliminar de Guillermo Díaz-Plaja. 30.00

38. LAZO, Raimundo: Historia de la literatura hispanoamericana. El período colonial (1492-1780). 40.00

65. LAZO, Raimundo: Historia de la literatura hispanoamericana. El siglo XIX (1780-1914). 40.00

179. LAZO, Raimundo: La novela Andina. (Pasado y futuro. Alcides. Arguedas. César Vallejo. Ciro Alegría. Jorge Icaza. José María Arguedas. Previsible misión de Vargas Llosa y los futuros narradores). 25.00

184. LAZO, Raimundo: El romanticismo. (Lo romántico en la lírica hispanoamericana, del siglo XVI a 1970). 30.00

226. LAZO, Raimundo: Gertrudis Gómez de Avellaneda. La mujer y la poesía lírica. 25.00

LECTURA EN VOZ ALTA. (Véase:ARREOLA, Juan José)

247. LE SAGE: Gil Blas de Santillana. Traducción y prólogo de Francisco José de Isla. Y un estudio de Sainte-Beuve. 45.00

321. LEIBNIZ, Godofredo G.: Discurso de metafísica. Sistema de la naturaleza. Nuevo tratado sobre el entendimiento humano. Monadología. Principios sobre la naturaleza y la gracia. Estudio introductivo y análisis de las obras por Francisco Larroyo. 40.00

145. LEON, Fray Luis de: La perfecta casada. Cantar de los cantares. Poesías originales. Introducción y notas de Joaquín Antonio Peñalosa. 25.00

632. LESSING, G. E.: Laocoonte. Introducción de Wilhelm Dilthey. 35.00

48. Libro de los Salmos. Versión directa del hebreo y comentarios de José González Brown. 35.00

304. LIVIO, Tito: Historia Romana. Primera década. Estudio preliminar de Francisco Montes de Oca. 35.00

671. LOCKE, John: Ensayo sobre el Gobierno Civil. 40.00

276. LONDON, Jack: El lobo de mar. El mexicano. Introducción de Arturo Souto A. 30.00

277. LONDON, Jack: El llamado de la selva. Colmillo blanco. 30.00

284. LONGO: Dafnis y Cloé. APULEYO: El asno de oro. Estudio preliminar e Francisco Montes de Oca. 35.00

12. LOPE DE VEGA Y CARPIO, Félix: Fuente ovejuna. Peribañez y el comen-dador de Ocaña. El mejor alcalde, el Rey. El caballero de Olmedo. Biografía y presentación de las obras por J. M. Lope Blanch. 30.00

657. LOPE DE VEGA. Poesía lírica. Prólogo de Alfonso Junco. 65.00

566. LOPEZ DE GOMARA, Francisco: Historia de la conquista de México. Estudio preliminar de Juan Miralles Ostos. 50.00

LOPE DE VEGA. Véase: Autos Sacramentales

	LOPEZ DE YANGUAS. Véase: Autos Sacramentales	
298.	LOPEZ-PORTILLO Y ROJAS, José: Fuertes y débiles. Prólogo de Ramiro Villaseñor y Villaseñor.	30.00
	LOPEZ RUBIO. Véase: Teatro Español Contemporáneo	
574.	LOPEZ SOLER, Ramón: Los bandos de Castilla. El caballero del cisne. Prólogo de Ramón López Soler.	30.00
218.	LOPEZ Y FUENTES, Gregorio: El indio. (Novela mexicana). Prólogo de Antonio Magaña Esquivel.	20.00
297.	LOTI, Pierre: Las desencantadas. Introducción de Rafael Solana.	20.00
	LUCA DE TENA. Véase: Teatro Español Contemporáneo	
485.	LUCRECIO CARO, Tito: De la naturaleza. LAERCIO, Diógenes: Epicuro. Prólogo de Concetto Marchessi.	35.00
353.	LUMMIS, Carlos F.: Los exploradores españoles del Siglo XVI. Prólogo de Rafael Altamira.	30.00
595.	LLUL, Ramón: Blanquerna. El doctor iluminado por Ramón Xirau.	35.00
639.	MACHADO DE ASSIS, Joaquín María. El alienista y otros cuentos. Prólogo de Ilán Stavans.	35.00
324.	MAETERLINCK, Maurice: El pájaro azul. Introducción de Teresa del Conde.	20.00
664.	MANN, THOMAS: La Montaña mágica. Esbozo de mi vida por Thomas Mann.	70.00
178.	MANZONI, Alejandro: Los novios. (Historia milanesa del siglo XVIII). Con un estudio de Federico Baraibar.	30.00
152.	MAQUIAVELO, Nicolás: El príncipe. Precedido de Nicolás Maquia-velo en su quinto centenario por Antonio Gómez Robledo.	25.00
	MARCO AURELIO: Véase: Epicteto	
192.	MARMOL, José: Amalia. Prólogo de Juan Carlos Ghiano.	35.00
652.	MARQUES DE SANTILLANA-GOMEZ MANRIQUE-JORGE MANRIQUE.- Poesía. Introducción de Arturo Souto A.	35.00
367.	MARQUEZ STERLING, Carlos: José Martí. Síntesis de una vida extraordinaria.	35.00
	MARQUINA. Véase: Teatro Español Contemporáneo	
141.	MARTI, José: Sus mejores páginas. Estudio, notas y selección de textos, por Raimundo Lazo.	30.00
236.	MARTI, José: Ismaelillo. La edad de oro. Versos sencillos. Prólogo de Raimundo Lazo.	25.00
338.	MARTINEZ DE TOLEDO, Alfonso: Arcipreste de Talavera o Corbacho. Introducción de Arturo Souto A. Con un estudio del vocabulario del Corbacho y colección de refranes y locuciones contenidos en el mismo por A. Steiger.	30.00
214.	MARTINEZ SIERRA. Gregorio: Tú eres la paz. Canción de cuna. Prólogo de María Edmée Alvarez.	25.00
193.	MATEOS, Juan A.: El cerro de las campanas. (Memorias de un guerrillero). Prólogo de Clementina Díaz y de Ovando.	35.00
197.	MATEOS, Juan A.: El sol de mayo. (Memorias de la intervención). Nota preliminar de Clementina Díaz y de Ovando.	30.00
514.	MATEOS, Juan A.: Sacerdote y caudillo. (Memorias de la insurrección).	35.00
573.	MATEOS, Juan A.: Los insurgentes. Prólogo y epílogo de Vicente Riva Palacio.	35.00
344.	MATOS MOCTEZUMA, Eduardo: El negrito poeta mexicano y el dominicano. ¿Realidad o fantasía. Exordio de Antonio Pompa y Pompa.	25.00
565.	MAUGHAM W., Somerset: Cosmopolitas. La miscelanea de siempre. Estudio sobre el cuento corto de W. Somerset Maugham.	30.00
665.	MAUGHAM, William Somerset.- Servidumbre humana. Leyendo a Maugham, por Rafael Solana.	60.00
697.	MAUGHAM, William Somerset: La luna y seis peniques	40.00
698.	MAUGHAM, William Somerset: El filo de la navaja	60.00
410.	MAUPASSANT, Guy de: Bola de sebo. Mademoiselle Fifi. Las hermanas Rondoli.	30.00
423.	MAUPASSANT, Guy de: La becada. Claror de luna. Miss Harriet. Introducción de Dana Lee Thomas.	35.00
642.	MAUPASSANT, Guy de: Bel-Ami. Introducción de Miguel Moure. Traducción de Luis Ruíz Contreras.	40.00

506.	MELVILLE, Herman: Moby Dick o la ballena blanca. Prólogo de W. Somerset Maugham.	45.00
336.	MENENDEZ, Miguel Angel: Nayar. (Novela). Ilustró Cadena M.	29.00
370.	MENENDEZ PELAYO, Marcelino: Historia de los heterodoxos españoles. Erasmistas y protestantes. Sectas místicas. Judaizantes y moriscos. Artes mágicas. Prólogo de Arturo Farinelli.	65.00
389.	MENENDEZ PELAYO, Marcelino: Historia de los heterodoxos españoles. Regalismo y enciclopedia. Los afrancesados y las Cortes de Cadiz. Reinados de Fernando VII e Isabel II. Krausismo y Apologístas católicos. Prólogo de Arturo Ferinelli.	65.00
405.	MENENDEZ PELAYO, Marcelino: Historia de los heterodoxos españoles. Epocas romana y visigoda. Priscilianismo y adopcionismo. Mozárabes. Acordobeses. Panteismo semítico. Albigenses y valdenses. Arnaldo de Vilanova. Raimundo Lulio. Herejes en el siglo XV. Advertencia y discurso preliminar de Marcelino Menéndez Pelayo.	65.00
475.	MENENDEZ PELAYO, Marcelino: Historia de las ideas estéticas en España. Las ideas estéticas entre los antiguos griegos y latinos. Desarrollo de las ideas estéticas hasta fines del siglo XVII.	65.00
482.	MENENDEZ PELAYO, Marcelino: Historia de las ideas estéticas en España. Reseña histórica del desarrollo de las doctrinas estéticas durante el siglo XVIII.	65.00
483.	MENENDEZ PELAYO, Marcelino: Historia de las ideas estéticas en España. Desarrollo de las doctrinas estéticas durante el siglo XIX.	65.00
	MESSER, Augusto: Véase: HESSEN, Juan	
	MIHURA: Véase: Teatro Español Contemporáneo	
18.	MIL Y UN SONETOS MEXICANOS. Selección y nota preliminar de Salvador Novo.	35.00
136.	MIL Y UNA NOCHES, LAS. Prólogo de Teresa E. de Rhode.	35.00
194.	MILTON, John: El paraíso perdido. Prólogo de Joaquín Antonio Peñaloza.	30.00
	MIRA DE AMEZCUA: Véase: Autos Sacramentales	
109.	MIRO, Gabriel: Figuras de la pasión del señor. Nuestro Padre San Daniel. Prólogo de Juana de Ontañón.	30.00
68.	MISTRAL, Gabriela: Lecturas para mujeres. Gabriela Mistral (1922-1924). Por Palma Guillén de Nicolau.	25.00
250.	MISTRAL, Gabriela: Desolación. Ternura. Tala. Lagar. Introducción de Palma Guillén de Nicolau.	35.00
144.	MOLIERE: Comedias. Tartufo. El burgués gentilhombre. El misántropo. El enfermo imaginario. Prólogo de Rafael Solana.	25.00
149.	MOLIERE: Comedias. El avaro. Las preciosas ridículas. El médico a la fuerza. La escuela de las mujeres. Las mujeres sabias. Prólogo de Rafael So-lana.	30.00
32.	MOLINA, Tirso de: El vergonzoso en palacio. El condenado por desconfiado. El burlador de Sevilla. La prudencia en la mujer. Edición de Juana de Ontañón.	30.00
	MOLINA, Tirso de: Véase: Autos Sacramentales	
600.	MONTAIGNE: Ensayos completos. Notas prologales de Emiliano M. Aguilera. Traducción del francés de Juan G. de Luaces.	65.00
208.	MONTALVO, Juan: Capítulos que se le olvidaron a Cervantes. Estudio introductivo de Gonzalo Zaldumbide.	30.00
501.	MONTALVO, Juan: Siete tratados. Prólogo de Luis Alberto Sánchez.	35.00
8.	MONTES DE OCA, Francisco.- Ocho siglos de poesía en lengua castellana.	100.00
381.	MONTES DE OCA, Francisco: Poesía hispanoamericana.	40.00
191.	MONTESQUIEU: Del espíritu de las leyes. Estudio preliminar de Daniel Moreno.	50.00
282.	MORO, Tomás: Utopía. Prólogo de Manuel Alcalá.	30.00
129.	MOTOLINIA, Fray Toribio: Historia de los indios de la Nueva España. Estudio crítico, apéndices, notas e índice de Edmundo O'Gorman.	30.00
588.	MUNTHE, Axel: La historia de San Michele. Introducción de Arturo Uslar-Pietri.	35.00

286.	NATORP, Pablo: Propedéutica filosófica. Kant y la escuela de Marburgo. Curso de pedagogía social. Presentación introductiva. (El autor y su obra). Y preámbulos a los capítulos por Francisco Larroyo.	25.00
527.	NAVARRO VILLOSLADA, Francisco: Amaya o los Vascos en el siglo VIII	45.00
171.	NERVO, Amado: Plenitud, perlas negras. Místicas. Los jardines interiores. El estanque de los Lotos. Prólogo de Ernesto Mejía Sánchez	25.00
175.	NERVO, Amado: La amada inmóvil. Serenidad. Elevación. La última luna. Prólogo de Ernesto Mejía Sánchez.	30.00
443.	NERVO, Amado: Poemas: Las voces. Lira heróica. El éxodo y las flores del camino. El arquero divino. Otros poemas. En voz baja. Poesías varias.	30.00
	NEVILLE. Véase: Teatro Español Contemporáneo	
395.	NIETZSCHE, Federico: Así hablaba Zaratustra. Prólogo de E. W. F. Tomlin.	30.00
430.	NIETZSCHE, Federico: Más allá del bien y del mal. Genealogía de la moral. Prólogo de Johann Fischl.	30.00
576.	NUÑEZ CABEZA DE VACA, Alvar: Naufragios y comentarios. Apuntes sobre la vida del adelantado por Enrique Vedia.	35.00
356.	NUÑEZ DE ARCE, Gaspar: Poesías completas. Prólogo de Arturo Souto A.	30.00
45.	O'GORMAN, Edmundo: Historia de las divisiones territoriales de México.	50.00
8.	Ocho siglos de poesía en lengua española. Introducción y Compilación de Francisco Montes de Oca.	100.00
	OLMO: Véase: Teatro Español Contemporáneo	
	ONTAÑON, Juana de: Véase: Santa Teresa de Jesús	
462.	ORTEGA Y GASSET, José: En torno a Galileo. El hombre y la gente. Prólogo de Ramón Xirau.	40.00
488.	ORTEGA Y GASSET, José: El tema de nuestro tiempo. La rebelión de las masas. Prólogo de Fernando Salmerón.	30.00
497.	ORTEGA Y GASSET, José: La deshumanización del arte e ideas sobre la novela. Velázquez. Goya.	30.00
499.	ORTEGA Y GASSET, José: ¿Qué es filosofía? Unas lecciones de metafísica. Prólogo de Antonio Rodríguez Húescar.	45.00
436.	OSTROVSKI, Nicolai: Así se templó el acero. Prefacio de Ana Karevàeva.	25.00
316.	OVIDIO: Las metamorfosis. Estudio preliminar de Francisco Montes de Oca.	35.00
213.	PALACIO VALDES, Armando: La hermana San Sulpicio. Introducción de Joaquín Antonio Peñalosa.	25.00
125.	PALMA, Ricardo: Tradiciones peruanas. Estudio y selección por Raimundo Lazo.	40.00
	PALOU, Fr. Francisco: Véase: CLAVIJERO, Francisco Xavier	
421.	PAPINI, Giovanni: Gog. El libro negro. Prólogo de Ettore Allodoli.	40.00
424.	PAPINI, Giovanni: Historia de Cristo. Prólogo de Victoriano Capánaga.	35.00
644.	PAPINI, Giovanni: Los operarios de la viña y otros ensayos.	40.00
266.	PARDO BAZAN, Emilia: Los pazos de Ulloa. Introducción de Arturo Souto A.	25.00
358.	PARDO BAZAN, Emilia: San Francisco de Asís. (Siglo XIII). Prólogo de Marcelino Menéndez Pelayo.	35.00
496.	PARDO BAZAN, Emilia: La madre naturaleza. Introducción de Arturo Souto A.	25.00
577.	PASCAL, Blas: Pensamientos y otros escritos. Aproximaciones a Pascal de R. Guardini. F. Mauriac, J. Mesner y H. Küng.	40.00
	PASO: Véase: Teatro Español Contemporáneo	
3.	PAYNO, Manuel: Los bandidos de Río Frío. Prólogo de Antonio Castro Leal.	45.00
80.	PAYNO, Manuel: El fistol del diablo. (Novela de costumbres mexicanas). Texto establecido y estudio preliminar de Antonio Castro Leal.	65.00

605.	PAYNO, Manuel: El hombre de la situación. Retratos históricos. Moctezuma II. Cuauhtémoc. La Sevillana. Alfonso de Avila. Don Martín Cortés. Fray Marcos de Mena. El Tumulto de 1624. La Familia Dongo.	30.00
622.	PAYNO, Manuel: Novelas cortas. Apuntes biográficos por Alejandro Villaseñor y Villaseñor.	35.00
	PEMAN: Véase: Teatro Español Contemporáneo	
	PENSADOR MEXICANO: Véase: Fábulas	
64.	PEREDA, José María de: Peñas arriba. Sotileza. Introducción de Soledad Anaya Solórzano.	30.00
165.	PEREYRA, Carlos: Hernán Cortés. Prólogo de Martín Quirarte.	25.00
493.	PEREYRA, Carlos: Las huellas de los conquistadores.	30.00
498.	PEREYRA, Carlos: La conquista de las rutas oceánicas. La obra de España en América. Prólogo de Silvio Zavala.	35.00
188.	PEREZ ESCRICH, Enrique: El mártir del Gólgota. Prólogo de Joaquín Antonio Peñalosa.	35.00
69.	PEREZ GALDOS, Benito: Miau. Marianela. Prólogo de Teresa Silva Tena.	40.00
107.	PEREZ GALDOS, Benito: Doña perfecta. Misericordia	30.00
117.	PEREZ GALDOS, Benito: Episodios nacionales: Trafalgar. La corte de Carlos IV. Prólogo de María Eugenia Gaona.	30.00
130.	PEREZ GALDOS, Benito: Episodios nacionales: 19 de marzo y el 2 de mayo. Bailén.	30.00
158.	PEREZ GALDOS, Benito: Episodios nacionales: Napoleón en Chamartín. Zaragoza. Prólogo de Teresa Silva Tena.	30.00
166.	PEREZ GALDOS, Benito: Episodios nacionales: Gerona. Cádiz. Nota preliminar de Teresa Silva Tena.	30.00
185.	PEREZ GALDOS, Benito: Fortunata y Jacinta. (Dos historias de casadas). Introducción de Agustín Yáñez.	50.00
289.	PEREZ GALDOS, Benito: Episodios nacionales: Juan Martín el Empecinado. La batalla de los Arapiles.	30.00
378.	PEREZ GALDOS, Benito: La desheredada. Prólogo de José Salavarría.	35.00
383.	PEREZ GALDOS, Benito: El amigo manso. Prólogo de Joaquín Casalduero.	25.00
392.	PEREZ GALDOS, Benito: La fontana de oro. Introducción de Marcelino Menéndez Pelayo.	40.00
446.	PEREZ GALDOS, Benito: Tristana. Nazarín. Prólogo de Ramón Gómez de la Serna.	25.00
473.	PEREZ GALDOS, Benito: Angel Guerra. Prólogo de Emilia Pardo Bazán.	35.00
489.	PEREZ GALDOS, Benito: Torquemada en la hoguera. Torquemada en la cruz. Torquemada en el purgatorio. Torquemada y San Pedro. Prólogo de Joaquín Casalduero.	35.00
231.	PEREZ LUGIN, Alejandro: La casa de la Troya. Estudiantina.	25.00
235.	PEREZ LUGIN, Alejandro: Currito de la Cruz.	25.00
263.	PERRAULT, CUENTOS DE: Griselda. Piel de asno. Los deseos ridículos. La bella durmiente del bosque. Caperucita roja. Barba azul. El gato con botas. Las hadas. Cenicienta. Riquete el del copete. Pulgarcito. Prólogo de María Edmée Alvarez.	25.00
308.	PESTALOZZI, Juan Enrique: Cómo Gertrudis enseña a sus hijos. Cartas sobre la educación de los niños. Libros de educación elemental. Prólogos, estudio introductivo y preámbulos de las obras por Edmundo Escobar.	30.00
369.	PESTALOZZI, Juan Enrique: Canto del cisne. Estudio preliminar de José Manuel Villalpando.	25.00
492.	PETRARCA: Cancionero. Triunfos. Prólogo de Ernst Hatch Wilkins.	35.00
221.	PEZA, Juan de Dios: Hogar y patria. El arpa del amor. Noticia preliminar de Porfirio Martínez Peñalosa.	25.00
224.	PEZA, Juan de Dios: Recuerdos y esperanzas. Flores del alma y versos festivos.	35.00
557.	PEZA, Juan de Dios: Leyendas históricas tradicionales y fantásticas de las calles de la ciudad de México. Prólogo de Isabel Quiñónez.	35.00
594.	PEZA, Juan de Dios: Memorias. Reliquias y retratos. Prólogo de Isabel Quiñonez.	35.00

248. PINDARO: Odas. Olímpicas. Píticas. Nemeas. Istmicas y fragmentos de otras obras de Píndaro. Otros líricos griegos: Arquíloco. Tirteo. Alceo. Safo. Simónides de Ceos. Anacreonte. Baquílides. Estudio preliminar de Francisco Montes de Oca. 25.00

13. PLATON: Diálogos. Estudio preliminar de Francisco Larroyo. 55.00

139. PLATON: Las leyes. Epinomis. El político. Estudio introductivo y preámbulos a los diálogos de Francisco Larroyo. 40.00

258. PLAUTO: Comedias: Los mellizos. El militar fanfarrón. La olla. El gorgojo. Anfitrión. Los cautivos. Estudio preliminar de Francisco Montes de Oca. 30.00

26. PLUTARCO: Vidas paralelas. Introducción de Francisco Montes de Oca. 40.00

564. POBREZA Y RIQUEZA. En obras selectas del cristianismo primitivo. Selección de textos, traducción y estudio por Carlos Ignacio González S. J. 30.00

210. POE, Edgar Allan: Narraciones extraordinarias. Aventuras de Arturo Gordon. Pym. El cuervo. Prólogo de Ma. Elvira Bermúdez. 35.00

85. POEMA DE MIO CID. Versión antigua, con prólogo y versión moderna de Amancio Bolaño e Isla. Seguida del ROMANCERO DEL CID. 25.00

102. POESIA MEXICANA. Selección de Francisco Montes de Oca. 50.00

371. POLO, Marco: Viajes. Introducción de María Elvira Bermúdez. 25.00

510. PONSON DU TERRAIL, Pierre Alexis: Hazañas de Rocambole. Tomo I. 40.00

511. PONSON DU TERRAIL, Pierre Alexis: Hazañas de Rocambole. Tomo II 40.00

518. PONSON DU TERRAIL, Pierre Alexis: La resurrección de Rocambole. Tomo I. Continuación de "Hazañas de Rocambole". 40.00

519. PONSON DU TERRAIL, Pierre Alexis: La resurrección de Rocambole. Tomo II. Continuación de "Hazañas de Rocambole". 40.00

36. POPOL WUJ. Antiguas historias de los indios Quichés de Guatemala. Ilustradas con dibujos de los códices mayas. Advertencia, versión y vocabulario de Albertina Saravia E. 25.00

150. PRESCOTT, William H.: Historia de la conquista de México. Anotada por Don Lucas Alamán. Con notas, críticas y esclarecimientos de Don José Fernando Ramírez. Prólogo y apéndices por Juana A. Ortega y Medina. 80.00

666. PRESCOTT, William H: La Conquista de México. Versión abreviada de Beatrice Berler. Traducción de Magdalena Ruiz de Cerezo. 30.00

198. PRIETO, Guillermo: Musa callejera. Prólogo de Francisco Monterde. 25.00

450. PRIETO, Guillermo: Romancero nacional. Prólogo de Ignacio M. Altamirano. 35.00

481. PRIETO, Guillermo: Memorias de mis tiempos. Prólogo de Horacio Labastida. 60.00

54. PROVERBIOS DE SALOMON Y SABIDURIA DE JESUS DE BEN SIRAK. Versión directa de los originales por Angel María Garibay K. 30.00

QUEVEDO, Francisco de: Véase: Lazarillo de Tormes

646. QUEVEDO, Francisco de: Poesía. Introducción de Jorge Luis Borges. 35.00

332. QUEVEDO Y VILLEGAS, Francisco de: Sueños. El sueño de las calaveras. El alguacil alguacilado. Las zahúrda de Plutón. Visita de los chistes. El mundo por dentro. La hora de todos y la fortuna con seso. Poesías. Introducción de Arturo Souto A. 30.00

97. QUIROGA, Horacio: Cuentos. Selección, estudio preliminar y notas críticas e informativas por Raimundo Lazo. 30.00

347. QUIROGA, Horacio: Más cuentos. Introducción de Arturo Souto A. 30.00

360. RABELAIS: Gargantúa y Pantagruel. Vida de Rabeláis por Anatole France. Ilustraciones de Gustavo Doré. 45.00

219. RABINAL-ACHI: El varón de Rabinal. Ballet-drama de los indios Quichés de Guatemala. Traducción y prólogo de Luis Cardoza y Aragón. 20.00

RANGEL, Nicolás. Véase: URBINA, Luis G.

366. REED, John: México insurgente. Diez días que estremecieron al mundo. Prólogo de Juan de la Cabada. 35.00

669. REMARQUE, Erich Maria.- Sin novedad en el frente. Etiología y cronología de la Primera Guerra Mundial. 30.00

597. RENAN, Ernesto: Marco Aurelio y el fin del mundo antiguo. Precedido de la plegaria sobre la acrópolis. 35.00

101. RIVA PALACIO, Vicente: Cuentos del general. Prólogo de Clementina Díaz y de Ovando. 25.00

474. RIVA PALACIO, Vicente: Las dos emparedadas. Memorias de los tiempos de la inquisición. 30.00

476. RIVA PALACIO, Vicente: Calvario y Tabor. 30.00

507. RIVA PALACIO, Vicente: La vuelta de los muertos. 30.00

162. RIVAS, Duque de: Don Alvaro o la fuerza del Sino. Romances históricos. Prólogo de Antonio Magaña Esquivel. 25.00

172. RIVERA, José Eustasio: La vorágine. Prólogo de Cristina Barros Stivalet. 25.00

ROBIN HOOD.(Véase: Anónimo)

87. RODO, José Enrique: Ariel. Liberalismo y Jacobinismo. Ensayos: Rubén Darío, Bolívar, Montalvo. Estudio preliminar, índice biográfico, cronológico y resumen bibliográfico por Raimundo Lazo. 30.00

115. RODO, José Enrique: Motivos de Proteo y nuevos motivos de Proteo. Prólogo de Raimundo Lazo. 30.00

88. ROJAS, Fernando de: La Celestina. Prólogo de Manuel de Ezcurdia. Con una cronología y dos glosarios. 25.00

ROMANCERO DEL CID. Véase: Poema de Mío Cid

650. ROPS, Daniel: Jesús en su tiempo. Jesús ante la crítica por Daniel Rops. 60.00

ROSAS MORENO: Véase: Fábulas

328. ROSTAND, Edmundo: Cyrano de Bergerac. Prólogo, estudio y notas de Angeles Mendieta Alatorre. 30.00

440. ROTTERDAM, Erasmo de: Elogio de la locura. Coloquios. Erasmo de Rotterdam, Por Johan Huizinga. 30.00

113. ROUSSEAU, Juan Jacobo: El contrato social o principios de Derecho Político. Discurso sobre las ciencias y las artes. Discurso sobre el origen de la desigualdad. Estudio preliminar de Daniel Moreno. 25.00

159. ROUSSEAU, Juan Jacobo: Emilio o de la educación. Estudio preliminar de Daniel Moreno. 30.00

470. ROUSSEAU, Juan Jacobo: Confesiones. Prólogo de Jeanne Renée Becker. 50.00

265. RUEDA, Lope de: Teatro completo. Eufemía. Armelina. De los engañados. Medora. Colloquio de Camelia. Colloquio de Tymbria. Diálogo sobre la invención de las Calcas. El deleitoso. Registro de representantes. Colloquio llamado prendas de amor. Colloquio en verso. Comedia llamada discordia y questión de amor. Auto de Naval y Abigail. Auto de los desposorios de Moisén. Farsa del sordo. Introducción de Arturo Souto A. 35.00

10. RUIZ DE ALARCON, Juan: Cuatro comedias. Las paredes oyen. Los pechos privilegiados. La verdad sospechosa. Ganar amigos. Estudio, texto y comentarios de Antonio Castro Leal. 30.00

451. RUIZ DE ALARCON, Juan: El examen de maridos. La prueba de las promesas. Mudarse por mejorarse. El tejedor de Segovia. Prólogo de Alfonso Reyes. 25.00

RUIZ IRIARTE: Véase: Teatro Español Contemporáneo

51. Sabiduría de Israel. Tres obras de la cultura judía. Traducciones directas de Angel María Garibay K. 30.00

SABIDURIA DE JESUS BEN SIRAK: Véase: Proverbios de Salomón

300. SAHAGUN, Fr. Bernardino de: Historia general de las cosas de la Nueva España. La dispuso para la prensa en esta nueva edición, con numeración, anotaciones y apéndices Angel María Garibay K. 90.00

299. SAINT-EXUPERY, Antoine de: El principito. Nota preliminar y traducción de María de los Angeles Porrúa. 20.00

322. SAINT-PIERRE, Bernardino de: Pablo y Virginia. Introducción de Arturo Souto A. 30.00

659. SAINTE-BEUVE. Retratos literarios. Prólogo de Gerard Bauer. 40.00

456. SALADO ALVAREZ, Victoriano: Episodios Nacionales: Santa Anna. La reforma. La intervención. El imperio: su alteza serenísima. Memorias de un Polizonte. Prólogo biográfico de Ana Salado Alvarez. 30.00

460. SALADO ALVAREZ, Victoriano: Episodios Nacionales: Santa Anna. La reforma. La intervención. El imperio: el golpe de estado. Los mártires de Tacubaya. 30.00

464. SALADO ALVAREZ, Victoriano: Episodios Nacionales: Santa Anna. La reforma. La intervención. El imperio: la reforma. El plan de pacificación. 30.00

466. SALADO ALVAREZ, Victoriano: Episodios Nacionales: Santa Anna. La reforma. La intervención. El imperio: las ranas pidiendo rey. Puebla. 30.00

468. SALADO ALVAREZ, Victoriano: Episodios Nacionales: Santa Anna. La reforma. La intervención. El imperio: la Corte de Maximiliano. Orizaba. 30.00

469. SALADO ALVAREZ, Victoriano: Episodios Nacionales: Santa Anna. La reforma. La intervención. El imperio: Porfirio Díaz. Ramón Corona. 30.00

471. SALADO ALVAREZ, Victoriano: Episodios Nacionales: Santa Anna. La reforma. La intervención. El imperio: la emigración. Querétaro. 30.00

477. SALADO ALVAREZ, Victoriano: Memorias. Tiempo viejo. Tiempo Nuevo. Nota preliminar de José Emilio Pacheco. Prólogo de Carlos González Peña. 35.00

220. SALGARI, Emilio: Sandokan. La mujer del pirata. Prólogo de María Elvira Bermúdez. 30.00

239. SALGARI, Emilio: Los piratas de la Malasia. Los estranguladores. Nota preliminar de María Elvira Bermúdez. 30.00

242. SALGARI, Emilio: Los dos rivales. Los tigres de la Malasia. Nota preliminar de María Elvira Bermúdez. 30.00

257. SALGARI, Emilio: El rey del mar. La reconquista de Mompracem. Nota preliminar de María Elvira Bermúdez. 30.00

264. SALGARI, Emilio: El falso Bracman. La caída de un imperio. Nota preliminar de María Elvira Bermúdez. 30.00

267. SALGARI, Emilio: En los junglares de la India. El desquite de Yáñez. Nota preliminar de María Elvira Bermúdez. 30.00

292. SALGARI, Emilio: El capitán Tormenta. El León de Damasco. Nota preliminar de María Elvira Bermúdez. 30.00

296. SALGARI, Emilio: El hijo del León de Damasco. La galera del Bajá. Nota preliminar de María Elvira Bermúdez. 30.00

302. SALGARI, Emilio: El corsario negro. La venganza. Nota preliminar de María Elvira Bermúdez. 35.00

306. SALGARI, Emilio: La reina de los caribes. Honorata de Wan Guld. 30.00

312. SALGARI, Emilio: Yolanda. Morgan. 30.00

363. SALGARI, Emilio: Aventuras entre los pieles rojas. El rey de la pradera. Prólogo de María Elvira Bermúdez. 30.00

376. SALGARI, Emilio. En las fronteras del Far-West. La cazadora de cabelleras. Prólogo de María Elvira Bermúdez. 30.00

379. SALGARI, Emilio: La soberana del campo de oro. El rey de los cangrejos. Prólogo de María Elvira Bermúdez. 30.00

465. SALGARI, Emilio: Las "Panteras" de Argel. El filtro de los Califas. Prólogo de María Elvira Bermúdez. 30.00

517. SALGARI, Emilio: Los náufragos del Liguria. Devastaciones de los piratas. 30.00

533. SALGARI, Emilio: Los mineros de Alaska. Los pescadores de ballenas. 30.00

535. SALGARI, Emilio: La campana de plata. Los hijos del aire. 30.00

536. SALGARI, Emilio: El desierto de fuego. Los bandidos del Sahara. 30.00

537. SALGARI, Emilio: Los últimos filibusteros. 30.00

538. SALGARI, Emilio: Los misterios de la selva. La costa de marfil. 30.00

540. SALGARI, Emilio: La favorita del Mahdi. El profeta del Sudan. 30.00

542. SALGARI, Emilio: El capitán de la "D'Jumna". La montaña de luz. 30.00

544. SALGARI, Emilio: EL hijo del corsario rojo. 30.00

547. SALGARI, Emilio: La perla roja. Los pescadores de perlas. 30.00

553. SALGARI, Emilio: El mar de las perlas. La perla del río rojo. 30.00

554. SALGARI, Emilio: Los misterios de la India. 30.00

559. SALGARI, Emilio. Los horrores de Filipinas. 30.00

560. SALGARI, Emilio: Flor de las perlas. Los cazadores de cabezas. 30.00

561. SALGARI, Emilio: Las hijas de los faraones. El sacerdote de Phtah. 30.00

562. SALGARI, Emilio: Los piratas de las Bermudas. Dos abordajes. 30.00

563. SALGARI, Emilio: Nuevas aventuras de cabeza de piedra. El castillo de Montecarlo. 30.00

567. SALGARI, Emilio: La capitana del Yucatán. La heroína de Puerto Arturo. Nota preliminar de María Elvira Bermúdez. 30.00

579. SALGARI, Emilio: Un drama en el Océano Pacífico. Los solitarios del Océano. 30.00

583. SALGARI, Emilio: Al Polo Norte a bordo del "Taimyr". 30.00

585. SALGARI, Emilio: El continente misterioso. El esclavo de Madagascar. 30.00

288. SALUSTIO: La conjuración de Catilina. La guerra de Jugurta. Estudio preliminar de Francisco Montes de Oca. 25.00

SAMANIEGO: Véase: Fábulas

393. SAMOSATA, Luciano de: Diálogos. Historia verdadera. Introducción de Salvador Marichalar. 35.00

59. SAN AGUSTIN: La ciudad de Dios. Introducción de Francisco Montes de Oca. 50.00

142. SAN AGUSTIN: Confesiones. Versión, introducción y notas de Francisco Montes de Oca. 30.00

40. SAN FRANCISCO DE ASIS. Florecillas. Introducción de Francisco Montes de Oca. 35.00

228. SAN JUAN DE LA CRUZ: Obras completas. Subida del Monte Carmelo. Noche oscura. Cántico espiritual. Llama de amor viva. Poesías. Prólogo de Gabriel de la Mora. 45.00

199. SAN PEDRO, Diego de: Cárcel de amor. Arnalde e Lucenda. Sermón. Poesías. Desprecio de la fortuna. Seguidas de questión de amor. Introducción de Arturo Souto A. 30.00

SANCHEZ DE BADAJOZ: Véase: Autos Sacramentales

655. SAND, George.- Historia de mi vida. Prólogo de Ramón Anguita. 35.00

50. SANTA TERESA DE JESUS: Las moradas. Libro de su vida. Biografía de Juana de Ontañón. 35.00

645. SANTAYANA, George: Tres poetas filósofos. Lucrecio - Dante -Goethe. Diálogos en el Limbo. Breve historia de mis opiniones de George Santayana. 40.00

49. SARMIENTO, Domingo F.: Facundo. Civilización y Barbarie. Vida de Juan Facundo Quiroga. Ensayo preliminar e índice cronológico por Raimundo Lazo. 25.00

SASTRE: Véase: Teatro Español Contemporáneo

138. SCOTT, Walter: Ivanhoe o El Cruzado. Introducción de Arturo Souto A. 25.00

409. SCOTT, Walter: El monasterio. Prólogo de Henry Thomas. 30.00

416. SCOTT, Walter: El pirata. Prólogo de Henry Thomas. 30.00

434. SCHILLER, Federico: Don Carlos. La conjuración de Fiesco. Intriga y amor. Prólogo de Wilhelm Dilthey. 30.00

401. SCHILLER, Federico: María Estuardo. La doncella de Orleans. Guillermo Tell 25.00

458. SCHILLER, Federico: Wallenstein. El campamento de Wallenstein. Los Piccolomini. La muerte de Wallenstein. La novia de Mesina. Prólogo de Wilhelm Dilthey. 30.00

419. SCHOPENHAUER, Arturo: El mundo como voluntad y representación. Introducción de E. Friedrick Sauer. 35.00

455. SCHOPENHAUER, Arthur: La sabiduría de la vida. En torno a la filosofía. El amor, las mujeres, la muerte y otros temas. Prólogo de Abraham Waismann. Traducción del alemán por Eduardo González Blanco. 35.00

603. SCHWOB, Marcel: Vidas imaginarias. La cruzada de los niños. Prólogo de José Emilio Pacheco. 30.00

281. SENECA: Tratados filosóficos. Cartas. Estudio preliminar de Francisco Montes de Oca. 30.00

653. SERRANO MIGALLON, Fernando: El grito de independencia. Historia de una pasión nacional. Prólogo de Andrés Henestrosa. 35.00

658. SERRANO MIGALLON, Fernando: Toma de posesión.:El rito del poder. Presentación de Lorenzo Meyer. 35.00

673. SERRANO MIGALLÓN, Fernando: Isidro Fabela y la diplomacia mexicana. Prólogo de Modesto Seara Vázquez. 50.00

437. SERTILANGES, A. D.: La vida intelectual. GUITTON, Jean: El trabajo intelectual. 30.00

86. SHAKESPEARE: Hamlet. Penas por amor perdidas. Los dos hidalgos de Verona. Sueño de una noche de verano. Romeo y Julieta. Con notas preliminares y dos cronologías. 30.00

94. SHAKESPEARE: Otelo. La fierecilla domada. Y vuestro gusto. El rey Lear. Con notas preliminares y dos cronologías. 35.00

96. SHAKESPEARE: Macbeth. El mercader de Venecia. Las alegres comadres de Windsor. Julio César. La tempestad. Con notas preliminares y dos cronologías. 30.00

687. SHELLEY, Mary W.: Frankenstein. 35.00

SHOLOJOV: Véase: Cuentos Rusos

160. SIENKIEWICZ, Enrique: Quo vadis? Prólogo de José Manuel Villalaz. 40.00

146. SIERRA, Justo: Juárez: su vida y su tiempo. Introducción de Agustín Yáñez. 40.00

515. SIERRA, Justo: Evolución política del pueblo mexicano. Prólogo de Alfonso Reyes. 30.00

81. SITIO DE QUERETARO, EL: Según sus protagonistas y testigos. Selección y notas introductorias de Daniel Moreno. 35.00

14. SOFOCLES: Las siete tragedias. Versión directa del griego con una introducción de Angel María Garibay K. 25.00

89. SOLIS Y RIVADENEIRA, Antonio de: Historia de la conquista de México. Prólogo y apéndices de Edmundo O'Gorman. Notas de José Valero. 40.00

472. SOSA, Francisco: Biografías de mexicanos distinguidos. (Doscientas noventa y cuatro). 60.00

319. SPINOZA: Etica. Tratado teológico-político. Estudio introductivo, análisis de las obras y revisión del texto por Francisco Larroyo. 50.00

684. STEINBECK, John: Las uvas de la ira 60.00

651. STAVANS, Ilán: Cuentistas judíos. Sforim. Schultz. Appelfeld. Perera. Kafka. Peretz. Bratzlav. Kis. Aleichem. Goldemberg. Ash. Oz. Goloboff. Yehoshua. Shapiro. Agnon. Amichai. Svevo. Singer. Paley. Szichman. Stavans. Babel. Gerchunoff. Bellow. Roth. Dorfman. Lubitch. Ozic. Scliar. Bleister. Roenmacher. Introducción Memoria y literatura por Ilán Stavans. 60.00

105. STENDHAL: La cartuja de Parma. Introducción de Francisco Montes de Oca. 25.00

359. STENDHAL: Rojo y negro. Introducción de Francisco Montes de Oca. 30.00

110. STEVENSON, R. L.: La isla del tesoro. Cuentos de los mares del sur. Prólogo de Sergio Pitol. 30.00

72. STOWE, Harriet Beecher: La cabaña del tío Tom. Introducción de Daniel Moreno. 30.00

525. SUE, Eugenio: Los misterios de París. Tomo I. 35.00

526. SUE, Eugenio: Los misterios de París. Tomo II. 35.00

628-29. SUE, Eugenio: El judío errante. 2 Tomos. 144.00

355. SUETONIO: Los doce Césares. Introducción de Francisco Montes de Oca. 25.00

SURGUCHOV. Véase: Cuentos Rusos

196. SWIFT, Jonathan: Viajes de Gulliver. Traducción, prólogo y notas de Monserrat Alfau. 30.00

291. TACITO, Cornelio: Anales. Estudio preliminar de Francisco Montes de Oca. 25.00

33. TAGORE, Rabindranath: La luna nueva. El jardinero. El cartero del rey. Las piedras hambrientas y otros cuentos. Estudio de Daniel Moreno. 30.00

647. TAINE, Hipólito: Filosofía del arte. Prólogo de Raymond Dumay. 40.00

232. TARACENA, Alfonso: Francisco I. Madero. 35.00

386. TARACENA, Alfonso: José Vasconcelos. 25.00

610. TARACENA, Alfonso: La verdadera Revolución Mexicana. (1901-1911). Prólogo de José Vasconcelos. 60.00

611. TARACENA, Alfonso: La verdadera Revolución Mexicana. (1912-1914). Palabras de Sergio Golwarz. 60.00

612. TARACENA, Alfonso: La verdadera Revolución Mexicana. (1915-1917). Palabras de Jesús González Schmal. 60.00

613. TARACENA, Alfonso: La verdadera Revolución Mexicana. (1918-1921). Palabras de Enrique Krauze. 0.00

614. TARACENA, Alfonso: La verdadera Revolución Mexicana. (1922-1924). Palabras de Ceferin Palencia. .00

615. TARACENA, Alfonso: La verdadera Revolución Mexicana. (1925-1927). Palabras de Alfons Reyes.2a. edición. 1992. vii-421 pp. Rústica.)0

616. TARACENA, Alfonso: La verdadera Revolución Mexicana. (1928-1929). Palabras de Rafa Solana, Jr.

617. TARACENA, Alfonso: La verdadera Revolución Mexicana. (1930-1931). Palabras de Jos Muñoz Cota.

618. TARACENA, Alfonso: La verdadera Revolución Mexicana. (1932-1934). Palabras de Mart Luis Guzmán.

619. TARACENA, Alfonso: La verdadera Revolución Mexicana. (1935-1936). Palabras de Enriq Alvarez Palacios.

620. TARACENA, Alfonso: La verdadera Revolución Mexicana. (1937-1940). Palabras de Carl Monsiváis.

TASIN: Véase: Cuentos Rusos

403. TASSO, Torcuato: Jerusalén libertada. Prólogo de M. Th. Laignel. 56

325. TEATRO ESPAÑOL CONTEMPORANEO: BENAVENTE: Los intereses creados. La malqueri MARQUINA. En Flandes se ha puesto el sol. HNOS. ALVAREZ QUINTERO: Malvaloca. VAL INCLAN: El embrujado. UNAMUNO: Sombras de sueño. GARCIA LORCA: Bodas de sang Introducción y anotaciones por Joseph W. Zdenek y Guillermo I. Castillo-Feliú. 19 13

330. TEATRO ESPAÑOL CONTEMPORÁNEO: LOPEZ RUBIO: Celos del aire. MIHURA: T sombreros de copa. LUCA DE TENA: Don José, Pepe y Pepito. SASTRE: La mordaza. CAL SOTELO: La muralla. PEMAN: Los tres etcéteras de Don Simón. NEVILLE: Alta fidelidad. PA Cosas de papá y mamá. OLMO: La camisa. RUIZ IRIARTE: Historia de un adulterio. Introduc y anotaciones por Joseph W. Zdenek y Guillermo I. Castillo-Feliú. 2 6

350. TEIXIDOR, Felipe: Viajeros mexicanos. (Siglos XIX y XX).

37. TEOGONIA E HISTORIA DE LOS MEXICANOS. Tres opúsculos del Siglo XVI. Edición de A M. Garibay K.

253. TERENCIO: Comedias: La andriana. El eunuco. El atormentador de sí mismo. Los herman La suegra. Formión. Estudio preliminar de Francisco Montes de Oca.

TIMONEDA: Véase: Autos Sacramentales

201. TOLSTOI, León: La guerra y la paz. De "La guerra y la paz" por Eva Alexandra Uchmany.

205. TOLSTOI, León: Ana Karenina. Prólogo de Fedro Guillén.

295. TOLSTOI, León. Cuentos escogidos. Prólogo de Fedro Guillén.

394. TOLSTOI, León: Infancia-Adolescencia-Juventud. Recuerdos. Prólogo de Salvador Marichalar.

413. TOLSTOI, León: Resurrección. Prólogo de Emilia Pardo Bazán.

463. TOLSTOI, León: Los Cosacos. Sebastopol. Relatos de guerra. Prólogo de Jaime Torres Bodet.

479. TORRE VILLAR, Ernesto de la: Los Guadalupes y la independencia. Con una selección de documentos inéditos.

550. TRAPE, Agostino: San Agustín. El hombre, el pastor, el místico. Presentación y traducción de Rafael Gallardo García O.S.A.

290. TUCIDIDES: Historia de la guerra del Peloponeso. Introducción de Edmundo O'Gorman.

453. TURGUENEV, Iván: Nido de Hidalgos. Primer amor. Aguas primaverales. Prólogo de Emilia Pardo Bazán.

TURGUENEV: Véase: Cuentos Rusos

591. TURNER, John Kenneth. México bárbaro.

209. TWAIN, Mark: Las aventuras de Tom Sawyer. Introducción de Arturo Souto A. 25.00

337. TWAIN, Mark: El príncipe y el mendigo. Introducción de Arturo Souto A. 25.00

UCHMANY, Eva: Véase: TOLSTOI, León

UNAMUNO, Miguel de. Véase: Teatro Español Contemporáneo

UNAMUNO, Miguel de: Cómo se hace una novela. La tía Tula. San Manuel bueno, mártir y tres historias más. Retrato de Unamuno por J. Cassou y comentarios de Unamuno. 30.00

UNAMUNO, Miguel de. Niebla. Abel Sánchez. Tres novelas ejemplares y un prólogo. 35.00

UNAMUNO, Miguel de: Del sentimiento trágico de la vida. La agonía del cristianismo. Introducción de Ernst Robert Curtius. 25.00

UNAMUNO, Miguel de: Por tierras de Portugal y España. Andanzas y visiones españolas. Introducción de Ramón Gómez de la Serna. 30.00

UNAMUNO, Miguel de: Vida de Don Quijote y Sancho. En torno al casticismo. Introducción de Salvador de Madariaga. 45.00

UNAMUNO, Miguel de: Antología poética. Prólogo de Arturo Souto A. 50.00

URBINA, Luis G. y otros: Antología del centenario. Estudio documentado de la literatura mexicana durante el primer siglo de independencia 1800-1821. Obra compilada bajo la dirección de Don Justo Sierra. 40.00

USIGLI, Rodolfo: Corona de sombra. Corona de fuego. Corona de luz. 30.00

VALDES, Juan de: Diálogos de la lengua. Prólogo de Juan M. Lope Blanch. 25.00

VALDIVIELSO: Véase: Autos Sacramentales

VALERA, Juan: Pepita Jiménez y Juanita la Larga. Prólogo de Juana de Ontañón. 30.00

). VALMIKI: El Ramayana. Prólogo de Teresa E. Rohde. 20.00

5. VALLE-INCLAN, Ramón del: Sonata de primavera. Sonata de estío. Sonata de otoño. Sonata de invierno. (Memorias del Marqués de Bradomín. Estudio preliminar de Allen W. Phillips. 30.00

37. VALLE-INCLAN, Ramón del: Tirano Banderas. Introducción de Arturo Souto A. 25.00

VALLE-INCLAN, Ramón del. Véase: Teatro Español Contemporáneo

94. VAN DER MEERSCH, Maxence: Cuerpos y almas. 80.00

55. VARGAS MARTINEZ, Ubaldo: Morelos: siervo de la nación. 35.00

95. VARONA, Enrique José: Textos escogidos. Ensayo de interpretación, acotaciones y selección de Raimundo Lazo. 30.00

660. VASARI, GIORGIO. Vidas de grandes artistas. Las artes plásticas renacentistas, por Rudolf Chadraba. 40.00

425. VEGA, Garcilaso de la y BOSCAN, Juan: Poesías completas. Prólogo de Dámaso Alonso. 40.00

439. VEGA, Garcilaso de la "El Inca": Comentarios reales. Introducción de José de la Riva-Agüero. 50.00

217. VELA, Arqueles: El modernismo. Su filosofía. Su estética. Su técnica. 35.00

243. VELA, Arqueles: Análisis de la expresión literaria. 30.00

339. VELEZ DE GUEVARA, Luis: El diablo cojuelo. Reinar después de morir. Introducción de Arturo Souto A. 25.00

111. VERNE, Julio: De la tierra a la luna. Alrededor de la luna. Prólogo de María Elvira Bermúdez. 25.00

114. VERNE, Julio: Veinte mil leguas de viaje submarino. Nota de María Elvira Bermúdez. 25.00

116. VERNE, Julio: Viaje al centro de la tierra. El doctor Ox. Maese Zacarías. Un drama en los aires. Nota de María Elvira Bermúdez. 30.00

123. VERNE, Julio. La isla misteriosa. Nota de María Elvira Bermúdez. 30.00

168. VERNE, Julio: La vuelta al mundo en 80 días. Las tribulaciones de un chino en China. 20.00

180. VERNE, Julio: Miguel Strogoff. Con una biografía de Julio Verne por María Elvira Bermúdez. 30.00

183. VERNE, Julio: Cinco semanas en globo. Prólogo de María Elvira Bermúdez. 25.00

186. VERNE, Julio: Un capitán de quince años. Prólogo de María Elvira Bermúdez. 30.00

189. VERNE, Julio: Dos años de vacaciones. Prólogo de María Elvira Bermúdez. 25.00

260.	VERNE, Julio: Los hijos del capitán Grant. Nota preliminar de María Elvira Bermúdez.	30.00
361.	VERNE, Julio. El castillo de los Carpatos. Las indias negras. Una ciudad flotante. Nota preliminar de María Elvira Bermúdez.	30.00
404.	VERNE, Julio: Historia de los grandes viajes y los grandes viajeros.	30.00
445.	VERNE, Julio: Héctor Servadac. Prólogo de María Elvira Bermúdez.	30.00
509.	VERNE, Julio: La Jangada. Ochocientas leguas por el Río de las Amazonas.	30.00
513.	VERNE, Julio: Escuela de los Robinsones. Nota preliminar de María Elvira Bermúdez.	25.00
539.	VERNE, Julio: Norte contra Sur.	25.00
541.	VERNE, Julio. Aventuras del capitán Hatteras. Los ingleses en el Polo Norte. El desierto de hielo.	30.00
543.	VERNE, Julio: El país de las pieles.	30.00
551.	VERNE, Julio: Kerabán el testarudo.	30.00
552.	VERNE, Julio: Matías Sandorf. Novela laureada por la Academia Francesa.	30.00
569.	VERNE, Julio: El archipiélago de fuego. Clovis Dardentor. De Glasgow a Charleston. Una invernada entre los hielos.	30.00
570.	VERNE, Julio: Los amotinados de la Bounty. Mistress Branican.	30.00
571.	VERNE, Julio: Un drama en México. Aventuras de tres rusos y de tres ingleses en el Africa Austral. Claudio Bombarnac.	30.00
575.	VERNE, Julio: César Cascabel.	30.00
	VIDA DEL BUSCON DON PABLOS: Véase: LAZARILLO DE TORMES.	
163.	VIDA Y HECHOS DE ESTEBANILLO GONZALEZ. Prólogo de Juana de Ontañón.	25.00
227.	VILLAVERDE, Cirilo: Cecilia Valdés. Novela de costumbres cubanas. Estudio crítico de Raimundo Lazo.	24.00
147.	VIRGILIO. Eneida. Geórgicas. Bucólicas. Edición revisada por Francisco Montes de Oca.	25.00
261.	VITORIA, Francisco de: Reelecciones. Del estado, de los indios y del derecho de la guerra. Con una introducción de Antonio Gómez Robledo.	25.00
447.	VIVES, Juan Luis: Tratado de la enseñanza. Introducción a la sabiduría. Escolta del alma. Diálogos. Pedagogía pueril. Estudio preliminar y prólogos por José Manuel Villalpando.	45.00
27.	VOCES DE ORIENTE. Antología de textos literarios del cercano Oriente. Traducciones, introducciones, compilación y notas de Angel María Garibay K.	25.00
398.	VOLTAIRE: Cándido. Zadig. El ingenuo. Micrómegas. Memmon y otros cuentos. Prólogo de Juan Antonio Guerrero.	25.00
634.	VON KLEIST, Heinrich: Michael Kohlhaas y otras narraciones. Heinrich Von Kleist por Stefan Zewig.	35.00
170.	WALLACE, Lewis: Ben-Hur. Prólogo de Joaquín Antonio Peñalosa.	30.00
	WICKRAM, Jorge: Véase: Anónimo	
685.	WALTARI, Mika: Sinuhé, el egipcio.	60.00
672.	WASSERMAN, Jakob: El hombrecillo de los gansos.	60.00
691.	WELLS, H. G.: Breve historia del mundo.	50.00
133.	WILDE, Oscar: El retrato de Dorian Gray. El príncipe feliz. El ruiseñor y la rosa. El crimen de Lord Arthur Saville. El fantasma de Canterville. Traducción, prólogo y notas de Monserrat Alfau.	25.00
238.	WILDE, Oscar: La importancia de llamarse Ernesto. El abánico de Lady Windermere. Una mujer sin importancia. Un marido ideal. Salomé. Traducción y prólogo de Monserrat Alfau.	30.00
161.	WISEMAN, Cardenal: Fabiola o la Iglesia de las Catacumbas. Introducción de Joaquín Antonio Peñalosa.	40.00
692.	WOOLF, Virginia: Al faro.	30.00
90.	ZARCO, Francisco: Escritos literarios. Selección, prólogo y notas de René Avilés.	22.00
546.	ZAVALA, Silvio: Recuerdo de Vasco de Quiroga.	50.00

269.	ZEA, Leopoldo: Conciencia y posibilidad del mexicano. El occidente y la conciencia de México. Dos ensayos sobre México y lo mexicano.	25.00
528.	ZEVACO, Miguel: Los Pardaillán. Tomo I: En las garras del monstruo. La espía de la Médicis. Horrible revelación	35.00
529.	ZEVACO, Miguel: Los Pardaillán. Tomo II: El círculo de la muerte. El cofre envenenado. La cámara del tormento.	30.00
530.	ZEVACO, Miguel: Los Pardaillán. Tomo III: Sudor en sangre. La sala de las ejecuciones. La venganza de Fausta.	35.00
531.	ZEVACO, Miguel: Los Pardaillán. Tomo IV: Una tragedia en la Bastilla. Vida por vida. La crucificada.	35.00
532.	ZEVACO, Miguel: Los Pardaillán. Tomo V: El vengador de su madre. Juan el Bravo. La hija del Rey Hugonote.	35.00
548.	ZEVACO, Miguel: Los Pardaillán. Tomo VI: El tesoro de Fausta. La prisionera. La casa misteriosa.	35.00
555.	ZEVACO, Miguel: Los Pardaillán. Tomo VII: El día de la justicia. El santo oficio. Ante el César.	35.00
556.	ZEVACO, Miguel: Los Pardaillán. Tomo VIII. Fausta la diabólica	35.00
558.	ZEVACO, Miguel: Los Pardaillán. Tomo IX: La abandonada. La dama blanca. El fin de los Pardaillán.	35.00
412.	ZOLA, Emilio: Naná. Prólogo de Emilia Pardo Bazán.	35.00
414.	ZOLA, Emilio: La taberna. Prólogo de Guy de Maupassant.	30.00
58.	ZORRILLA, José: Don Juan Tenorio. El puñal del Godo. Prólogo de Salvador Novo.	25.00
681.	ZORRILLA, José: Recuerdos del tiempo viejo. Prólogo de Emilia Pardo Bazán.	60.00
153.	ZORRILLA DE SAN MARTIN, Juan: Tabaré. Estudio crítico por Raimundo Lazo.	25.00
418.	ZWEIG, Stefan: El mundo de ayer.	30.00
589.	ZWEIG, Stefan: Impaciencia del corazón.	30.00
689.	ZWEIG, Stefan: Fouché el genio tenebroso.	35.00
683.	ZWEIG, Stefan: María Antonieta	60.00
690.	ZWEIG, Stefan.- Momentos estelares de la humanidad. Nuevos momentos estelares.	25.00
696.	ZWEIG, Stefan.- Veinticuatro horas en la vida de una mujer. Carta de una desconocida. Confusión de sentimientos.	30.00

—Encuadernación en Tela $13.00 más por tomo—

PRECIOS SUJETOS A VARIACION SIN PREVIO AVISO